P9-EES-669

WITHDRAWN

Christian College Library
Columbia, Missouri

Enrique Anderson Imbert

FUGA

Edited by John V. Falconieri

THE MACMILLAN COMPANY, NEW YORK

Christian College Library
Columbia, Missouri

A la memoria de mi padre
TOMMASO FALCONIERI
Que no se pierda en el Tiempo

© Copyright, *The Macmillan Company,* 1965

All rights reserved. No part of this book may
be reproduced or utilized in any form or by any
means, electronic or mechanical, including
photocopying, recording or by any information
storage and retrieval system, without permission
in writing from the Publisher.

First Printing

Library of Congress catalog card number: 65–15580

THE MACMILLAN COMPANY, NEW YORK
COLLIER-MACMILLAN CANADA, LTD., TORONTO, ONTARIO

Printed in the United States of America

863
F181f

Foreword

*T*he name of Enrique Anderson Imbert has come to represent intelligence, originality, and precision of expression in whatever context it may appear. As a critic, literary historian, and scholar, Anderson Imbert has gained an international reputation. These capacities, carried into the classroom, have significantly contributed to his excellence as a professor of the literature of the Spanish-speaking nations.

There is another Anderson, however. Anderson, the "artificer," the creator of literary fantasies. In a word, Anderson, the author. Certainly his life, from an early moment, has been oriented to the study and creation of the written word. He began writing as a young man for a newspaper and soon moved directly, as if mesmerized, into the realm of creative writing. Anderson Imbert, therefore, was first of all a writer. He was, moreover, one of Argentina's earliest cultivators of fantastic literature, and one of its first authors of detective stories.

His other careers followed. Fortunately, they have not entirely monopolized his time. He still produces an occasional short story or continues—in a curiously determined fashion—to rewrite and rework his former stories. However, as abundant evidence of his earliest fascination with the techniques of fictional manipulation of people and ideas we have his book of short stories, *Las pruebas del caos* (1946), and his two novels, *Vigilia* (1934) and *Fuga* (1953). The latter novel, here edited by John Falconieri (former student and now colleague of the author), will suggest that the Anderson Imbert signature on a work has always meant the same things: intelligence, originality, and precision of expression.

Fuga will hold much interest and appeal for American students. They will be able to identify their experiences with those of the novel's protagonist, Miguel Sullivan, who comes as a young man still in his teens from a provincial town to Buenos Aires, first to take a job on a newspaper and later, after a period of disillusionment, to attend the

University of Buenos Aires. (This sequence of events, incidentally, closely parallels that of Anderson Imbert's life.) The author, moreover, captures on his pages much of the *joie de vivre* of student life, and in the strangely split personality of the protagonist he offers some revealing insights into the nature and preoccupations of youth.

All of this, be it noted, is carried along on a rather abstract, conceptual plane. As Professor Falconieri points out in his Introduction, there are a number of philosophical and metaphysical ideas woven into the narrative. This concern with concepts characterizes Anderson as a writer. (It is, in fact, a concern which he admits in the pages of his own monumental *History of Spanish American Literature*.) The artful manipulation of these concepts is also typical of the author. In the case of *Fuga,* these ideas are so arranged as to justify, in one sense, the reference in the novel's title to the musical form of the fugue.

The language of *Fuga,* colored and given depth through bright images and striking metaphors, is an admirable example of classical purity of expression, which comes as the result of extensive rewriting and polishing. Actually, the text of the present edition is the result of a recent revision made by Anderson Imbert on the occasion of *Fuga's* publication in a new edition (together with *Vigilia*) in Argentina. The short stories of *Las pruebas del caos,* along with many of his more recent short pieces, are also now once again available in a volume entitled *El grimorio.* The fact that almost all of Anderson Imbert's published works are now in print seems eloquent testimony to their literary value and validity in our day.

DONALD A. YATES

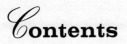

Contents

FOREWORD   *iii*

INTRODUCTION   *1*

FUGA   *7*

VOCABULARY   *83*

Introduction

*F*rom an early age Enrique Anderson Imbert was attracted
by the spell of imaginative or fantastic literature which he has pre-
ferred over the forms of traditional realism. His first effort at creating
fantasy was a series of short stories entitled *Las pruebas del caos*
published in 1946. To this was added a new series and the combina-
tion appeared in 1961 under the title *El grimorio:* stories that take
place in a world where predetermined laws and concepts do not hold
and where the author, sometimes playfully, sometimes satirically,
sometimes with gruesome effect, allows his fertile imagination to
create other laws of physical relations equally as chaotic as those by
which we live.

Although Anderson Imbert wrote short stories during his adoles-
cence, he made his formal debut as a writer with the publication of a
short novel, *Vigilia,* in 1934. It is the story of a band of teen-agers,
one of whom, in particular, Beltrán, on the *eve* of manhood experiences all the preoccupations and anguish associated with this difficult
period of human development and adjustment: the rebellion against
an orderly society manifested by mischievous acts and transgressions;
a sense of being nowhere, of not belonging, reflected in a desultory
way of life; sexual yearnings described in the two extremes of fulfill-
ment—in the sordid, repugnant atmosphere of a brothel and in the
vision of a purified, angelic, almost beatified dream girl. (It is not a
coincidence that Beltrán's dream girl is called Beatriz, as was the lady
of Dante's inspiration.) In 1961 Anderson published a revised and
definitive version of *Vigilia* in which he suppressed the realist atmosphere and moved it into a more superrealist or ethereal plane; or
perhaps, it would be more appropriate to say he moved it from the
realm of the senses to one of mental and psychic states.

In his adolescent novel Anderson displays a virtuosity in the use of
rhetorical and stylistic techniques: impressionism, expressionism and

interior monologue, simultaneity of events, and the abandonment of temporal succession in favor of a "stream of consciousness." As a consequence, he may be counted among the earliest employers of this method in Argentina.

Fuga

These stylistic techniques are used to great advantage in the novelette *Fuga,* because they are suited to the theme; namely, an excursion into the metaphysical possibilities of Time, or better, a flight into Time, especially recurring Time. *Fuga,* which means both "flight" and "fugue" in Spanish, is an appropriate title for the central theme and suggests as well the novel's formal structure which is based on that musical composition. The fugue is a polyphonic form in which two or more melodies are present *simultaneously,* in counterpoint, around one theme. The musical theme, then, is constant but heard *at the same time* in various melodies; and so it is with the literary theme of *Fuga,* Time, wherein events occur and recur *contemporaneously.*

We commonly speak of Time as though it were an invariable concept in everyone's mind. Given the universal use of the same time instruments and calendars, this is a plausible assumption. However, it might be fruitful to digress momentarily in order to make some observations on the nature of time. We look upon time as fixed, immutable in its measurements, and peculiarly inexorable in its march forward. Yet, even though it is a preconceived notion, it can be tampered with by man simply by his moving from one point in space to another. A person near the North Pole could conceivably celebrate his birthday twenty-four times in the same day by walking around the Pole where the meridians are not far separated from each other. But we need not resort to such farfetched possibilities; the modern jet age has played havoc with time reckoning by incredibly rapid displacements of persons. All this merely indicates that time, as we know it, is an arbitrary concept which can be changed at will (remember Daylight Savings Time), provided everyone concerned is in agreement; or time can change by moving rapidly across meridians or along them far enough north or south where it becomes more and more compressed as we approach the Poles; or time can change by varying one's psychic state, as we shall see presently. In order to measure time, a constant, continuously recurring, man-made or natural phenomenon must be present—be it the rotation of the earth, a Galilean pendulum,

FUGA
Enrique Anderson Imbert

Edited by John V. Falconieri

Macmillan Modern Spanish American Literature Series
General Editor: Donald A. Yates

Christian College Library
Columbia, Missouri

an electrical current or even a human pulse. Now the interesting thing is that were these phenomena, these points of reference, utterly infallible (and they are not), time might very well have a different meaning for different people. To the entombed miner an hour can be an eternity; and were he entombed long enough in total darkness, thereby losing all points of reference, he would soon invent through his hallucinations other non-existent points of reference. Man senses his longevity in terms of 65 or 70 years. The sexagenarian looks upon the remaining ten years of life as brief and pressing since he knows they represent one seventh of his life; while to the ten-year-old boy those ten next years (also a seventh of his life) represent in his psyche a doubling of the life span he has lived, and therefore, they are long, slow years.

But perhaps we should turn to Miguel, the protagonist of *Fuga,* to illustrate this psychic element of time. In Chapter XX Miguel promised he would no longer write editorials but rather, imaginative, capricious and fantastic short stories. The following is a translation of one of these stories which E. Anderson Imbert has graciously provided.

IN THE LAND OF THE SHORT-LIVED

The chronicle dates from the IX century but the events it narrates are of a much earlier age.

Sir Guingamor sallied out in search of the Land of the Blessed where the inhabitants—according to a venerable monk of Erin— did not age, or aged very little, and they lived forever, or for several centuries. All the visitor had to do to enjoy this everlasting youth was to eat an apple.

He did not find this region, but found another, where trees (there were no apple trees) grew, flourished, bore fruit and withered in one week. Here, the women (always young) became pregnant at night, gave birth the following morning and within a week the children were as old as the parents, who then passed away.

On seeing himself surrounded by so much short life, Sir Guingamor—whose person had not been affected in the slightest—felt more extended in time. He decided to stay there, and was very happy.

"Either he forgot that what he had been searching was the region of the long-lived, not the region of the short-lived, or, in view of the circumstances, it didn't matter to him." Thus ends the chronicle.

Indeed, time has a psychic dimension that clocks and other repetitive instruments cannot measure. If generally accepted measurements of time, then, can vary according to the psychology of each person, man can add yet other dimensions, imaginatively—either through rigorous intellectual reasoning or through fanciful hypotheses. Hence, it is possible to have time stand still, move backwards, repeat itself, to have the same event move concomitantly at different rates, that is, time can duplicate itself and the two times are measured in relation to their position in space; or instead of events duplicating, man can duplicate or pluralize himself by doubling or tripling his personality as was accomplished by several of the writers of the Generation of '98, Antonio Machado, in particular; and so on. After all, time has moved irresistibly *forward* only because we calculate death as an end of time (despite our ability to project time, imaginatively, beyond death); however even scientists will agree that in the interaction of the components of mass—particles, atoms, or any other—there is no formula or mathematical equation that indicates that time moves in any definite direction. And since we have mentioned space, has Einstein not shown that the time when an event takes place varies, depending on its position in space? On earth, where distance and time measurement are "normal," time and space are quite dependent on each other since things are at rest relatively to each other. But in outer space, for example, where matter moves at great speeds and over great areas, that is, where things are not at rest relatively to each other, an event takes place simultaneously with another in one reckoning, it will precede it in another, and follow it in a third.

Time—this fascinating, metaphysical concept—has been chosen by Anderson Imbert as the subject of his novel. He himself advises that his novel "will not be a valid diversion for those who cannot recreate, in their own consciences, this passing of Time." An interesting philosophical twist that deals with time and that has allured thinkers for a century or more, is the cyclical recurrence of life, not just a recurrence of events and people, but the actual repetition of every element of life precisely as it was lived before, as it will eternally be lived again within each new cycle. All that exists does not die, because as soon as its cycle of existence is fulfilled, it will reappear integrally. This concept of a repeating universe is known as the "eternal return." Although the notion was not original with the German philosopher, Friedrich Nietzsche, it was he who gave it poetic force and divulged its mystical overtones.[1]

Anderson Imbert borrows the idea of the "eternal return" in order to use it as a point of departure for a brilliant metaphoric play on the concept of time. The characters of *Fuga* are all pieces of time who, in their composite, are Time incarnate—the ever-present protagonist of *Fuga*. The characters are like the grains of sands that have rubbed together in the hourglass, and one day, says Anderson, after many turns of the hourglass, they will come into contact with one another in the same way as they had done before and as they will again in the future. In keeping with this cyclical form, the structure of the novel is obviously and purposely circular in that it ends as it began only to begin again as it ended.

Fuga is the story of a young university student, Miguel, who meets another student, Gabriel (a mirror image of himself), and Irma, with whom he becomes enamored to the point of obsession. Of the three principal characters, only Irma, "the daughter of Time," is cognizant that she and the others around her are reliving a cycle of life, and that Gabriel is actually Miguel, but in an earlier cycle. Miguel persists in disbelieving this even after Irma attempts an explanation. His disbelief leads him to difficulties with his coworkers and to a false recognition of Gabriel whom he regards simply as a colleague and compatriot. It would be a grave error to consider Gabriel and Miguel as the embodiment of a psychiatric split personality; they are rather a dual or multiple personality living contemporaneously but in two different cycles of time which have momentarily enmeshed. The series of similes and metaphors in Chapter XIII poetizes the "eternal return" in a sparkling, almost theatrical, dialogue between Irma and Miguel.

---

[1] Briefly, Nietzsche believed that since the world is a chaos, man has the duty to give it form. Having abolished God, having abolished the immutability of moral laws, man has become the arbiter of his own conduct. It fell incumbent on man alone to determine what laws were best for his own spiritual development. From here Nietzsche conceived the idea of the "eternal return" and his "superman." In negating all moral values and thus yielding to the power of chaotic forces, man imposes his own will power. Only through the idea of the eternal return could supermen become creators of eternal values because they knew that they had to live each moment of their lives with the awareness that these lives would be repeated over and over again. In this manner spiritual life would become part of nature.

The "plot" of *Fuga,* with its autobiographical undercurrents, mirrors the author's view of the universe and his devotion to the art of writing. His universe might be looked upon as an unpleasant and even depressing sight:

> *¿Universo? ¡Universo en ruinas, en todo caso! Polvo de estrellas, sin centro y sin sentido, eso es lo que es. Las nebulosas resbalan por las grandes vísceras como cuajos de leche, como placas de pus, como moco derretido. Las estrellas, un sarpullido. Y la luna que está viniendo, un tumor, un tumor de la noche enferma.*

It is even more disheartening than the chaotic world of Nietzsche because Anderson does not provide it with any kind of philosophic redemption. Anderson's chaotic universe is redeemed and dignified through his will to express this universe esthetically. The novel is a history of the gestation and birth of this will as it is unveiled in Miguel's slow but certain realization that his role in life (in each turn of its cycle) is that of a creative writer. Miguel discovers this, thanks to the catalyst provided in the person of Irma, in Chapter XIX. Irma had urged him to find "the key to the door of poetry." The evolution of Miguel's discovery is that of any artist who first "finds himself": *Hice un esfuerzo hacia dentro, no tanto para sentirme, sino para contemplar lo que sentía.* Then yields to his imagination: *la fantasía debía saltar ¡zas! como de una arteria cortada. ¡Afuera con la lógica! Imágenes. Sólo imágenes.*

This is the credo of Anderson Imbert—like Miguel, the writer of fantastic literature—which he practices at the same time as he proffers it. Notice, as you read, the images evoked by the interplay of colors, of reflected light and of liquid forms (mirrors, water, blood, ocean, bubbling, undersea), all of which combine to create the spectral aura that pervades the novel from the moment that Miguel sees himself in Gabriel. At this moment you are beckoned, to the strains of a *toccata* in fugue, to undertake a very fanciful flight into Time.

Primer movimiento: andante

I

*J*uguemos . . .

Apenas llegué a Buenos Aires[1] (yo había abandonado la casa de mi madre, en Tucumán, para lanzarme al periodismo)[2] fui a hablar con el director de *La Antorcha,* tucumano también, y medio indio. Se decía que ayudaba a los comprovincianos. De entrada me impuso [5] respeto.[3] Grandote, de hombros cargados, echado para atrás[4]; mesurado, parsimonioso; voz de bajo; pelo renegrido, lacio, largo, de artista finisecular; cara oscura, lampiña, en forma de un pentágono dc frente angosta, pómulos salientes y una aguda barbilla que se clavaba en el pecho de pichón.[5] Me sonreía por los agujeros oblicuos [10] de su máscara incaica.

Me preguntó por Tucumán, por mi familia, por el Colegio. Que si había visto los libros que dejó Amadeo Jacques,[6] que si conocí a Jaimes Freyre.[7]

—¿Y en qué puedo servirle? [15]

—Quiero escribir, Don Mario.

—¿En *La Antorcha?* Aquí somos socialistas, hijo.

—Ya sé. Yo también.

—Así me gusta. ¿Afiliado?

—No, pero de corazón. [20]

—Habría que afiliarse . . .

—Me afiliaré. Quiero escribir.

Sí, escribir, pero ¿escribir qué? ¡Ah, cualquier cosa! ¿Poesía, por ejemplo? No, poesía no. Nunca había escrito poesía. Más bien

---

[1] **Apenas . . . Aires**   I had scarcely arrived at Buenos Aires.
[2] **para lanzarme al periodismo**   in order to embark on a newspaper career.
[3] **De . . . respeto**   The moment I entered I was impressed by him.
[4] **echado para atrás**   haughty, conceited.
[5] **una . . . pichón**   a sharp chin that dug into his pigeonlike chest.
[6] **Amadeo Jacques**   *Professor at the National College of Tucumán, last half of nineteenth century.*
[7] **Jaimes Freyre**   *Bolivian Modernist poet,* 1868–1933.

ensayos. "Ensayos como éste"; y saqué del bolsillo tres páginas sobre la democracia a propósito de *The apple cart* de Bernard Shaw, que se acababa de publicar. Las leyó rápidamente. Que sí, que podía ingresar a la redacción, me dijo. No tuve tiempo de darme corte[8]: le pude haber contado que, cuando mi madre me paseó por los museos 5 de cuatro países de Europa, aproveché para visitar al viejo Shaw, en Ayot Saint Lawrence. (¡La gracia que le hizo a Shaw el saber que yo era compatriota del Cacambo de *Candide!*[9])

Don Mario me presentó a la redacción de *La Antorcha,* y me dio un escritorio en la pieza donde trabajaba otro muchacho: Genovesi, 10 cronista del movimiento obrero.

Me asignó, para empezar, un sueldo de ciento cincuenta pesos. No me desanimaba la pobreza. Al contrario. Yo nunca le había visto la cara, y por eso me la imaginaba virtuosa, como en Sócrates y en Jesús. Además, creía que los pobres saben mejor que nadie la 15 realidad, cosita por cosita y en sus lentos desgastes. Mi madre estaba en buena posición[10] y, si yo se lo hubiera consentido, me habría enviado dinero todos los meses. Pero no. Yo quería triunfar. Triunfar solo, desde abajo. ¡Ni un centavo que no fuera ganado con la pluma! Tenía dieciocho años, y la cabeza llena de pájaros.[11] 20

En el barrio del sur vi un cartel de alquiler y ahí no más me metí.[12] La casa era como las de Tucumán: patio con aljibe, plantas y mucho cielo. Golpeé las manos. Salió el dueño. Trigueño. La mirada escrutadora, la voz nasal y el modo de llevar alzado un hombro eran de cuchillero del 900.[13] Tenía unos cincuenta años, pero las señales de 25 alguna sífilis antigua le daban cierto rosado aire de juventud. Después de estudiarme un poco me explicó que la única pieza disponible era para matrimonio, y sería muy cara para mí, pero que me dejaría por veinte pesos un altillo en la azotea. Acepté. Era pequeño, con una gran ventana abierta alegremente hacia el río. De saber Acevedo (que 30 así se llamaba) que para mí un altillo era una torre y estar solito allá arriba un lujo, con seguridad me habría cobrado más.

---

[8] **darme corte**   to brag a little.
[9] **La gracia . . . Candide**   How tickled Shaw was when he found out I was a compatriot of Cacambo in *Candide.* (*The character of Cacambo in Voltaire's novel was also a native of Tucumán*).
[10] **en buena posición**   well off (financially).
[11] **cabeza llena de pájaros**   my head was full of flighty notions.
[12] **ahí . . . metí**   that's exactly where I installed myself.
[13] **eran . . . 900**   were those of a knife wielding hoodlum of the turn of the century.

Sujeté a la puerta un espejo de cuerpo entero.[14] Con tul verde hice
cortinas. Con tablones de pino y ladrillos levanté mi biblioteca.
Colgué una de las acuarelas tucumanas que pintaba mi madre: como
un vitral de colores abría lejanías por donde me llegaba un vago
aroma a naranjos. Desde mi cama yo vigilaba las nubes. Si quería   5
tomar el sol salía a la azotea, que era toda mía. Podía hablar solo (sí
¡qué le voy a hacer![15] es una costumbre que tengo) sin que me
oyeran vecinos. De noche entre la ventana y el espejo había una conversación de reflejos y la habitación se parecía así a mi propio magín.
En poco tiempo aprendí el oficio.   10
Genovesi fue mi gran amigo. Gordo, francachote, con unas pesta-
ñas tan peludas, rubias, largas y onduladas que los ojos parecían
arañas verdes (bondadosas arañas verdes). Genovesi me protegía. Al
principio me ayudó a escribir editoriales; después, admiró mi rapidez.
—Sos un macaneador[16] —me decía.   15
Inteligente, no me creía. Genovesi, quiero decir. Genovesi no me
creía inteligente. Como Genovesi oía el bordoneo con que yo acompañaba, en voz alta, el artículo que estaba escribiendo, mi inteligencia
debió de parecerle una locura razonante, fácil de disimular en un
editorial, pero patente en el trato diario. Se acercaba a mi mesa y me 20
tiraba de la lengua.[17] Yo le veía la intención de burlarse (hasta le
veía los guiños, las sonrisas, las miraditas de complicidad que lanzaba
a otros compañeros) y generalmente me iba a barajas[18]; pero no
siempre podía ahorrarme, y cuando no podía más me soltaba en una
orgía de metáforas. Al rato,[19] estaba delirando: me consumía como 25
vela de sebo y a esa llama venían a quemarse las mariposas. Entonces
es cuando Genovesi exclamaba:
—¡A Vieytes, a Vieytes!
Así me enteré que en Vieytes estaba el manicomio.
Yo lo perdonaba porque Genovesi era un buen amigo. Lo que 30
pasaba es que, por venir yo de Tucumán, él creía que mi fantasía era
puro tropicalismo. Él se las echaba de "ciudadano del mundo",[20]

[14] **Sujeté ... entero**   I attached a full length mirror to the door.
[15] **¡que ... hacer!**   I can't help it.
[16] **Sos un macaneador**   You're terrific.
[17] **me ... lengua**   he would incite me to talk, egg me on.
[18] **me iba a barajas**   I would throw in my cards (*that is,* I would not play along with it).
[19] **Al rato**   In a little while.
[20] **El ... mundo**   He boasted of being a "citizen of the world."

pero lo cierto es que era mucho más argentino que yo. Y argentino de Buenos Aires, lo que es peor. Ignoraba el país, y toda su arrogancia contra lo criollo, contra lo indio de América salía del hecho de que Buenos Aires le parecía una gran cosmópolis. ¡Qué iba a ser una cosmópolis, ni grande ni pequeña! Era una provincia mental, 5 desde la que ni siquiera se comprendía lo que pasaba a cien kilómetros. Yo no decía nada, pero me sentía mucho menos provinciano que él. Mi primera lengua había sido la inglesa, y al mismo tiempo que aprendí el castellano en la escuela aprendí el francés con una amiga de mamá (con esa amiga se fue mi padre a París, y nunca 10 volvió). Yo no me envanecía de ser un extranjerizante y por eso dejaba que Genovesi me tildara de "tucumano de tierra adentro".[21] ¡Él era el aldeano, y yo el ciudadano del mundo! Pero, precisamente, mi desarraigo —que siempre me avisó que jamás llegaría a ser escritor— daba a mi raíz en el aire una urgente avidez de meterse en 15 la tierra; de ahí que yo les hablara[22] de folklore y les cantara vidalas y carnavalitos . . . Y Genovesi se sonreía; y con su tonillo porteño de superioridad se burlaba de mi tonada tucumana. Dejé que se creyera superior.

Era lindo escribir durante horas y al día siguiente leerse en letras 20 de molde. Estoy hecho de papel y tinta; cuando el alma se me mueve hace un crujido de hojas de diario[23]; y aun al hablar mis palabras salen húmedas, negras, y van imprimiendo el aire. ¡Es lindo escribir y leerse! No había lacra social que yo no denunciara. Mi sombra de tinta se estiraba sobre las páginas con la talla de un reformador. ¡Y 25 qué brulotes! Contra esto, contra aquello. Pero mi fuerza venía de los libros, y después de dos años de trabajar en galeras vi que no aprendía nada. Remaba y remaba sin esperanzas de alcanzar ninguna orilla. Empezaba a repetirme. Me propuse escribir menos y estudiar más. Estudiaría . . . ¿qué? . . . Humanidades. Don Mario, al oírme, 30 se sonrió. La sonrisa, blanca como un corte a cuchillo sobre su piel color de papa.[24]

—Va a perder el tiempo.

—No veo por qué.

[21] **por . . . adentro** therefore, I allowed Genovesi to brand me "a hick from Tucumán."
[22] **de . . . hablara** this is why I would tell them.
[23] **hace . . . diario** it rustles like newspaper sheets.
[24] **blanca . . . papa** white like a knife slash on his potato colored skin.

—¿Qué se cree que va a aprender allí? Griego, latín: es decir,
lenguas muertas. Clásicos: es decir, momias de clase. Y después esos
problemas para señoritas: que si el Ser, que si el Alma[25] ... Amigo,
le van a enseñar a caminar sobre las nubes. Cuando venga a la
redacción ya no sabrá escribir sobre nada actual. Va a perder el   5
tiempo.
Genovesi, lo mismo:
—Vas a perder el tiempo.
No hice caso. Me matriculé en la Facultad de Filosofía y Letras.

[25] **que si el Ser, Alma** ...   if Being, if the Soul ...

Segundo movimiento: fugato

II

*A*l fin llegó el día de la inauguración de cursos. Me bañé, me afeité, me cebé unos mates.[26] Estaba tan oprimido por la impaciencia y por el recelo a la vida estudiantil que tuve que estirar brazos y piernas en un largo desperezo. Y mientras me desperezaba advertí que mi cuerpo cobraba la postura de Laocoonte defendiéndose de las serpientes. Ese sentirme estatua[27] —la piel perfilada en mármol viviente— me hizo pensar en la limpieza de mi desnudez y, por contraste, en las ropas gastadas que me cubrían. Sí, mi facha era la de un pobretón. Pero ¡qué importaba! A la pobreza hay que dignificarla exagerándola; y, aunque yo no era un bohemio, sabía darle a mi necesidad un toque artístico de libertad: no zurcir los rotos, no cambiar la corbata de moño negro, no avergonzarse del pelo largo, no planchar las rodilleras del pantalón . . .

A las cuatro salí. ¡A mi primera clase!

Era abril (abril de 1930); y cuando doblé en Viamonte[28] la campana de la iglesia de las Catalinas se puso a lamentarse de que en abril emigraran las golondrinas. Entonces sucedió algo despampanante. Yo estaba a pocos pasos de la Facultad y de pronto me vi a mí mismo, acercándome pero desde el lado del río. Allí estaba yo, yo mismito, viniendo a mi encuentro.[29] Como dio la casualidad de que yo,[30] que iba desde San Martín, y mi otro yo, que venía desde Reconquista, estábamos equidistantes del portal de la Facultad, tuve la impresión de que habían colocado un espejo a lo ancho de la vereda. El espejo era raro. Mi imagen —las mismas lustrosas arrugas en el traje, la misma chalina, las mismas melenas flotantes— caminaba con un paso más cansado. Su porte se me agobiaba leve-

[26] **me cebé unos mates**   I drank some *mate* tea.
[27] **Ese sentirme estatua**   That sensation of being a statue.
[28] **cuando doblé en Viamonte**   when I turned into Viamonte Street.
[29] **yo mismito . . . encuentro**   my very own self, coming on to meet myself.
[30] **Como . . . yo**   Since it chanced that I.

mente. Hasta su cara, muy parecida, era más desvaída y avejentada. Nos topamos en las gradas. Yo me reí pero mi doble quedó serio.

Cordialmente lo tomé del brazo, me incliné hacia su cara —como cuando me afeito frente al espejo— y le dije:

—Tenemos la misma pinta ¿verdad?[31]   5

Me barrió con un vistazo inexpresivo (sus ojos estaban en la gama más fría del azul), "no sé" me contestó y se dispuso a subir la escalinata.

No soy confianzudo. Nunca lo he sido. Pero me pareció tan cómico tropezar con mi Sosias[32] que, a pesar de su gravedad, lo detuve riéndome y mirándolo de hito en hito.   10

—En serio —le dije—. Tenemos la misma pinta. ¿Se ha fijado?

—No.

—¡Pero sí! Míreme. Míreme bien. ¿No me ve igualito igualito?[33] ¡Qué fenómeno! De ahora en adelante, si quiere, le sirvo de espejo. 15

Y como él, fastidiado, se alisó el pelo con la mano derecha, yo, de un salto, me le puse enfrente, imité su gesto de fastidio y, con la mano izquierda, también me alisé el pelo.

—¿Ve? Si quiere arreglarse la corbata, a sus órdenes. Puede usarme como espejo.   20

—Odio los espejos.

—¡Gracias! —le dije, riéndome. Y cordialmente le tendí la mano.

—Me llamo Miguel Sullivan —le dije.

—Gabriel O'Brien. Mucho gusto.

—¿Irlandés? —pregunté mientras estrechaba la mano (que solté 25
en seguida pues cedió a mi presión, blanda, sin huesecillos que me resistieran).

—Mis padres, sí.

—¡Qué casualidad![34] También los míos. ¿De qué parte?

—De Kerry.   30

—¡Hombre, también los míos!

Gabriel no dio a esa "casualidad" la misma importancia que yo, pues enderezó la cabeza, sin decir una palabra más, y atravesó el portal, yo a su lado, muy contento. Su compañía me confería cierta dignidad. La dignidad del uniforme, por lo menos. El mismo desaliño 35
de las ropas daba a nuestra pobreza un sentido espiritual, una

---

[31] **Tenemos ... verdad?**   We look just alike, don't we?
[32] **mi Sosias**   my spitting image.
[33] **¿No ... igualito?**   Don't you think I look exactly like you?
[34] **¡Qué casualidad!**   What a coincidence!

militancia común, como las ropas de los misioneros y de los soldados. Y al vernos entrar al mismo paso nos miraron. Noté que algunas chicas se sonreían y bisbiseaban. Hasta los muchachos nos miraron con curiosidad. Debíamos de parecer hermanos, de sangre y de bohemia; y estrafalarios hasta más no poder.[35] Nos adosamos a una   5 pared y esperamos el llamado a clase.

Los ojos de Gabriel se movían incesantemente. Todo lo miraba, como buscando algo. O a alguien.

—Parece un río —murmuró.

—¿Un río? —exclamé yo extrañado—. ¿Qué cosa parece un río?   10
—¿No ve? —con la barbilla señaló toda la escena—. Es como agua . . . Las sombras, quiero decir. Y las chicas nadando . . .

Gabriel debía de estar viendo algo mucho más intenso de lo que revelaban sus desganadas palabras. La transparencia de la penumbra, los líquidos reflejos que bajaban por los vidrios verdes del techo,   15 las grietas de las paredes, húmedas como grutas, la graciosa ondulación con que las mujeres se paseaban o emergían de la oscuridad del pasillo . . . Sí ¿por qué no? quizá Gabriel lo viera todo en el fondo de un río[36]; quizá él mismo, en medio de tanta delicia femenina, soltara de placer su semen de pez solitario.[37] Pero sus ojos sin   20 párpados, más tensos que los míos, ojos-linterna en busca de algo perdido, miraban aquí y allá, desamorados.

Estábamos los dos en la misma postura, con las manos atrás, apoyados contra la pared (que luego supe que era del Decanato).

En eso[38] entró una muchacha. Me gustó tanto que casi grité.   25
Se detuvo a un lado, a leer un aviso. Descansó el peso en una pierna y el otro pie iniciaba un paso de baile.

III

Lo primero que percibí fue la sensación casi muscular de que ese tamaño de mujer cabía cómodamente en mi abrazo. Me venía

[35] **de sangre . . . poder**   in blood and in our Bohemian way of life; and eccentric to the *n*th degree.
[36] **quizá . . . río**   perhaps Gabriel was seeing everything as from the bottom of a river.
[37] **soltara . . . solitario**   would react sensuously as a solitary fish.
[38] **En eso**   At that moment.

bien.[39] Como anillo al dedo. Mi cuerpo apreció la proporción. Se envaneció, se creyó con derechos, pavoneó sus glándulas.[40] Me subió por las carnes un borbolleo de sifón de soda.[41] Este gusto visceral me era muy conocido. Siempre me andaba rondando,[42] como la risa, como la prontitud del brazo, como la generosidad, y cuando menos lo pensaba solía intervenir venturosamente en mi vida. Me era también conocida la satisfacción de ese gusto. La primera, con una chinita de Tucumán. Pero junto con toda esa biología percibí otra cosa que sí me era desconocida: que el rostro manso de esa muchacha era un pedazo de mis propios ensueños objetivados para que yo, por fin, pudiera contemplarlos. ¿Hay un "tipo" de mujer que uno va profetizando y que acaba por ser más real, más completo que las mujeres mismas? No sé. Nunca se me había ocurrido. Pero ahí estaba mi "tipo". Por lo visto,[43] las chicas que me gustaron en el pasado habían estado anunciándome a ésta con promesas parciales de belleza. Ahora esas promesas se cumplían, esa belleza se reunía en un ser. Sólo que esta chica no era tan linda como sus mensajeras. Sus ojos tenían un brillo tristón y eran demasiado grandes para unos labios tan finos. Su busto, demasiado pequeño para unas caderas tan anchas. Sin embargo era perfecta: lo que ella juntaba en lingotes de oro eran las partículas doradas con que mi propia imaginación había espolvoreado a las mujeres, al pasar.[44]

Se dio vuelta y avanzó hacia Gabriel, hacia mí, lentamente. El cutis reabsorbía en su seda los suaves rasgos[45] y triunfaba como pura claridad. Y la cabellera, derramada sobre los hombros, comunicaba su fluidez a las líneas perezosas de toda la figura.

Me desbordé en una oleada de interés,[46] de esperanza y de miedo a no merecerla; y en esa dilatación se me rasgaron los párpados (como piel de higo maduro); y los labios se me entreabrieron como si estuvieran traduciendo en un movimiento superficial el beso profundo con que mi alma saludaba, en uno de sus rincones, la imagen

---

[39] **Me venía bien**   It felt just right.
[40] **Se . . . glándulas**   It began showing off, it felt it had rights and rose up proudly from within.
[41] **Me . . . soda**   A fizzy feeling ran through my flesh.
[42] **Siempre me andaba rondando**   It was always hanging around me.
[43] **Por lo visto**   Obviously.
[44] **lo . . . pasar**   she gathered together in gold ingot all of the gold dust that, in my imagination, I had dusted off other women whom I had walked by.
[45] **El . . . rasgos**   Her skin reabsorbed its soft features into its own silkiness.
[46] **Me . . . interés**   I overflowed with a surge of interest.

amada. Yo quería que ella me viera, porque entrar en su atención hubiera sido ya un contacto. Hasta tuve ganas de hacerle señas, náufrago que desde su isla llama a un barco que pasa por el horizonte. No reparó en mí. Desde atrás, desde muy atrás de sus ojos, salió una mirada que fue a posarse en Gabriel. Lo miraba como si lo recono- ⁵ ciera sin haberlo conocido antes. Pareció que iba a detenerse para preguntarle algo, pero pasó. Ya entristecido porque no se había fijado en mí, exclamé: —Interesante ¿eh?

Dije "interesante" porque esa palabra, respetuosa, ocultaba ca- ¹⁰ ballerescamente mis sentimientos en homenaje a los derechos de prioridad de Gabriel. Gabriel había sido el elegido; a Gabriel le correspondía la iniciativa.[47] Era un artículo del código de honor en que me habían iniciado en Tucumán. Esperé que Gabriel me dijera qué pensaba hacer. Pero Gabriel, mientras movía la mirada, pegada a ¹⁵ sus ojos, como un haz de luz que ilumina sin ver, me contestó con un "¿quién?". ¡El muy opa no la había visto! Entonces, con toda la fuerza de una jaculatoria, pedí que la muchacha fuera para mí, aparté a Gabriel del puente que ella le había tendido, me puse en su lugar y eché a rodar mi vida.[48] La seguí. La perseguí, más bien, ²⁰ pues yo quería imponerle mi presencia, exhibirme, impresionarla, para después, por ese lado ya abierto, deslizarme a su intimidad, y vivirla por dentro, y sentirme vivido allí.[49]

La vi recorrer el pasillo, doblar, salir al patio, entrar en la Biblioteca. Las diferentes luces —rosa bajo la lamparilla eléctrica, ²⁵ malva bajo los vidrios del techo, ámbar al salir al patiecillo descubierto, lila al entrar en la Biblioteca— la iban sumiendo en su espectro, la desrealizaban.

En la Biblioteca me pareció oír sus pisadas en la espiral de escalones de madera, pero ya no pude verla. Llegué a la oficina donde ³⁰ prestaban los libros: no estaba. Subí al salón de lecturas; no estaba. Bajé y me apoyé en la barandilla de hierro del patio, decidido a esperar su salida. No la vi salir. Así perdí la primera hora de clase. Durante el recreo recorrí todas las aulas, todos los tránsitos de la casa. No estaba. ³⁵

---

[47] **a . . . iniciativa**   the initiative was up to Gabriel.
[48] **eché . . . vida**   plunged into life blindly.
[49] **para . . . allí**   so that later, through that open door I could slip in and live intimately and from within, and feel myself living within her.

Sonó el timbre y fui a escuchar la segunda clase; y la tercera. Las voces de los profesores, el bullicio de la estudiantina, ya no me interesaban. Hasta el último momento la busqué. Olas encrespadas de estudiantes se arrojaron a la ciudad.[50] Me quedé en la escalinata, alerta.   5
Inútil. No estaba.

IV

Vi a Gabriel.
—¡Gabriel! —le grité.
Me miró de arriba abajo.
—Discúlpeme —me dijo—, pero no recuerdo . . .   10
—¡Cómo! ¿que no recuerdas? Pero . . .
Me eché a reír.
—A ver —y me clavó más los ojos—, sí, es usted igualito a alguien que he conocido. Pero tampoco sé a quién me recuerda usted.   15
Su voz era seca pero no impertinente. Era sincero. De veras, no me recordaba. Así que insistí:
—¡Gabriel! ¡Si hace un rato no más estábamos hablando aquí mismo![51]
—Será así.   20
Se iba.
—¿Para dónde vas?
—No sé —dijo encogiéndose de hombros; y bajó hacia 25 de Mayo,[52] sin invitarme, sin siquiera reparar en si yo lo acompañaba o no.   25
Primero me fastidió. Pero yo quería hablar, hablar . . . ¿Y con quién iba a hablar, sino con Gabriel? La posibilidad de que nuestros abuelos hubieran sido amigos, quizá parientes, allá en Irlanda, me hacía cargoso. Por eso persistí en tutearlo. Tenía otro motivo para sentirme cómodo al lado de Gabriel, por huraño que se me mostrara,[53]   30
y era nuestro parecido físico. Cuanto más lo miraba más se me antojaba una versión de mí mismo, sólo que más marchita[54]; y

---

[50] **Olas . . . ciudad**   Boisterous waves of students thrust themselves into the city.
[51] **¡Si . . . mismo!**   But only a moment ago we were talking right here.
[52] **y . . . Mayo**   and he headed down towards the 25th of May (Street).
[53] **por . . . mostrara**   no matter how unsociable he showed himself.
[54] **sólo que más marchita**   only a more faded (version).

simpatizaba con él, seguro de que por debajo de nuestra idéntica materia debía de haber también mucha alma común. Me le arrimé, pues; y caminamos juntos. Al llegar al buzón de la esquina costaleó como diciéndome: "Bueno, aquí debemos separarnos".

—Te acompaño —dije haciéndome el desentendido.[55]   5

—¿Adónde? Si no voy a ninguna parte.

—No importa. Te acompaño. No tengo nada que hacer.

—Como quiera —dijo encogiéndose de hombros.

Calle abajo, hacia las recovas de Leandro Além.[56] Al llegar a Corrientes[57] se paró y me dijo.   10

—Me voy a la Costanera.[58]

Y, sin más, cruzó.

Volví a prendérmele,[59] ahora con curiosidad.

—¿Qué haces?

—¿Qué hago? —repitió como si no me entendiera.   15

—Sí ¿qué haces, a qué te dedicas?

—Yo no me dedico a nada.

—Vamos, sabes bien lo que te digo . . . Algo harás . . .

—Vivo. ¿No es bastante?

Me regateaba la conversación. Yo me habría despedido allí mismo   20
si no hubiera sido por la sospecha de que Gabriel no podía ser tan vacío como pretendía. Era inexpresivo; pero quizá la expresión se le hubiera apagado después de un gran incendio.

Estábamos ya en la Avenida Costanera. Cuando bajamos a la playa —fosca, abandonada— Gabriel levantó la cabeza al cielo y   25
se quedó asi, largo rato, encogido, como si lo viera derrumbarse.[60]

El Río de la Plata se hizo el muerto.[61] Le oí un ruidito: un ruidito de agua. Esperé otro. No. Ya no se repitió. Tenté el suelo con el pie: ¡si hubiera una piedra para arrojársela y ver qué pasa! Ni eso . . .
Es lo malo de Buenos Aires: no tiene nada, ni una piedra. Con la   30
punta del zapato dibujé a ciegas mamarrachos sobre la arena. Miré de reojo a Gabriel. Igual, con la cabeza levantada hacia el cielo.

---

[55] **dije haciéndome el desentendido**   I said, pretending not to understand.
[56] **Calle . . . Além**   Down the street, towards the arcade on Leandro Além Street.
[57] **Corrientes**   *One of the main streets of Buenos Aires.*
[58] **Costanera**   *A street that runs along the river in Buenos Aires.*
[59] **Volví a prendérmele**   I caught up with him again.
[60] **encogido . . . derrumbarse**   shrunken back as if he expected it (*the sky*) to come crumbling down.
[61] **El . . . muerto**   The River Plata played possum.

¡Bueno! ¿nos íbamos a estar toda la noche ahí? Tenía frío. Hice
el último intento de arrancarle una conversación:

—Yo escribo. En *La Antorcha*.

—¿Ahá?

—¡Psh! Comentarios de mala muerte.⁶²   5

Silencio.

—No creas que te lo digo por modestia. No. De veras. Lo que estoy
haciendo es una porquería. Como ejercicio está bien. Pero no quiero
quedarme en eso.

Silencio.   10

No me iba a engañar a mí mismo. No había nada de modestia en
mi desprecio al periodismo. Me encantaba ser periodista. Si fingía
despreciarlo era para hacer creer que yo valía más, que yo tenía algún
talento escondido. Continué:

—Ya ves. Modesto no soy. En todo caso, modesto como en el   15
cuento del ratoncito pianista. ¿Lo conoces?

Silencio.

—Un tipo mal entrazado⁶³ entró en un bar y pidió una caña.
Mientras se la tomaba sacó del bolsillo del tapamugre un pianito y
un taburete y los puso sobre el mostrador. Después, del otro bol-   20
sillo, sacó un ratoncito y un canario. El ratoncito se acomodó en el
taburete y, dale que dale al teclado,⁶⁴ tocó algo de *La Bohéme*; y
el canario empezó a cantar aquello de "Mi chiamano Mimí, il perché
non so".⁶⁵ Entonces un señor que tomaba un whisky se le acercó,
todo admirado, y le dijo chapurreando el español: "¡Qué mara-   25
villoso! Le compro el ratoncito, el canario y el piano. Cien mil pesos".
No, el tipo no quería vender. "Doscientos mil pesos, pues", dijo el
del whisky, "soy representante del Circo Barnum. Doscientos mil
pesos y, además, si usted se viene con nosotros, el sueldo que fije".⁶⁶
Entonces el tipo, con voz modesta, contestó: "Si esto no vale nada,   30
señor. Soy pobre, pero honrado. No lo quiero engañar. Usted oye
al canario cantando Mi chiamano Mimí, ¿no? Pues le voy a decir
la verdad. La verdad es que el canario es mudo: lo que pasa es que
el ratoncito es ventrílocuo".

⁶² **Comentarios de mala muerte**   Items of little importance.
⁶³ **Un tipo mal entrazado**   A seedy-looking character.
⁶⁴ **dale . . . teclado**   pounding on the keyboard.
⁶⁵ **Mi . . . so**   *Italian*, They call me Mimí. I know not why.
⁶⁶ **el sueldo que fije**   you name the salary.

Silencio. Ni contándole cuentitos conseguí hacerlo hablar. Pasé a otra cosa.

—Vamos a ver qué tal son los cursos en la Facultad. El de introducción a la filosofía creo que me va a interesar —continué.

Silencio.

—Aunque ¡con tantas ninfas!... no sé... —y me reí maliciosamente (entonces decíamos "ninfas" para mofarnos del rubendarismo)—. La que seguí... ¿te acuerdas?...

—¿Eh?

Ni escuchaba.

Me cosí la boca, me aparté unos pasos[67] y después, disimuladamente, me fui. De lejos volví a observar su silueta. Inmóvil, frente al río tenebroso. Parecía obsesionado. Parecía un suicida que alzara la vista por última vez hacia las estrellas, antes de tirarse al agua.

Al llegar a mi pieza lo primero que hice fue mirarme en el espejo. Sí. Éramos como dos gotas de agua. La misma cara huesosa, los mismos ojos duros. Pero allí, en el espejo, mi expresión era más sana. Me metí los dedos en la boca y abrí los labios cuanto pude, espiándome, hasta donde me fue posible, la calavera que todos llevamos, como un carozo de palta. La carne estaba bien prendida, viva. Me imaginé que la cara de Gabriel, en cambio, podría arrancarse de un solo tirón. Un solo tirón de las melenas y su calavera aparecería limpia, amarillenta, con una risa horrible. Y en la risa tal vez una muela picada.

V

La Facultad, en un solo día, vino a suprimir el azar.[68] Antes la ciudad daba vueltas como una ruleta, y las perspectivas de buena suerte que algunas mujeres ofrecían a mi imaginación, al girar a mi lado, se cerraban inmediatamente.[69] Ahora la ciudad se aquietó. Ahora hubo orden. Allí estaba la vieja casona, esperándome en su invariable calle Viamonte. Las agujas de los relojes regulaban desde

---

[67] **Me ... pasos**   I clamped my mouth shut, took a few steps aside.
[68] **La ... azar**   In just one day, the College put an end to my game of chance.
[69] **y ... inmediatamente**   and the prospects of good luck, that some women offered up to my imagination, as they passed me, closed immediately.

lejos los pasos de los estudiantes; y cuando sonaran los timbres que precedían a cada clase aumentarían mis probabilidades de ver a Ella otra vez. Y ¿quién sabe? acaso pudiera hablarla, saber algo de su vida, concertar mis pasos con los suyos, verla a la misma hora día tras día . . .   5
Esa tarde las calles me parecieron más abiertas. Las atravesé todo imantado. Entre mi cuarto y el aula la ciudad se había hecho campo magnético, y yo me movía en líneas de fuerza, como una energía con sentido,[70] puesto que recibía la atracción de la posible presencia de Ella.   10
Y la vi, desde la puerta del aula, sentada en un banco de la primera fila, apartadiza, absorta. Me hubiera parecido irreal de no ser que su perfil hundía suavemente la hora ésa que comenzaba,[71] la hundía como a una almohada de seda. La luz que la bañaba tenía una calidad de cristal, de frío aumento, de brillo recortado en un círculo 15
sideral[72]; y el resto del aula la rodeaba con una franja tan aisladora que tuve la ilusión de que estaba enfocándola con un telescopio. Me senté al otro extremo de la misma fila de modo que pudiera espiarla con un ligerísimo desvío. Creí que, desde su distancia astral, no lo advertiría. Pero sí lo advirtió, y también desvió la vista hacia 20
mí. Fue la misma mirada interrogante con que había mirado a Gabriel la víspera. Y me saludó. Una sonrisa tenuísima. Se me alborotó la sangre.[73] No recuerdo si contesté su saludo. Después de haberme mirado cerró los ojos y se inmovilizó aún más.

VI

A todo esto[74] ya había venido el profesor de latín, un italiano 25
bizco, muy nervioso.
El tema de la clase: convencernos de que los argentinos hablamos latín.

[70] **y yo . . . sentido**   and I moved along (magnetic) lines of force, like (a mass of) energy with feeling.
[71] **Me . . . comenzaba**   She would have seemed unreal to me were it not for her profile softly indenting the hour that was beginning.
[72] **de . . . sideral**   of a brilliance cut in the form of a starry sphere.
[73] **Se . . . sangre**   My blood rushed excitedly.
[74] **A todo esto**   Meanwhile.

De pronto se interrumpió, y mientras un ojo borraba los estudiantes, el otro —ese terrible ojo de los bisojos que, con su fijeza, inventa siempre en un punto del espacio una persona invisible— fluía hacia ella.

Pensándolo bien[75] creo que el profesor tuvo razón en ofenderse. ⁵ Ella había levantado un pie para apoyarlo en el banquillo de enfrente y parecía dormir. Estaba acodada en una moldura de la pared, sosteniéndose la cabeza con la mano derecha, todo el cuerpo laxo, cerrados los ojos, arrellanada . . .

¿Qué más? ¡Un monumento de tedio! Supongo que así la vio el ¹⁰ profesor.

Para mí, en cambio, era un cuadro. Yo admiraba sus párpados, las aletas de su nariz, la garganta iluminada; y vigilaba su mano izquierda, abierta sobre el regazo como en esos niños que duermen inocentemente con la mano en el sexo. El matiz sorprendente de su ¹⁵ tez, lavada con agua y jabón, la sencillez con que su vestido resbalaba hacia modas del pasado y la postura de su cuerpo, tan poco vista en esas circunstancias, la desprendían de las mallas de la realidad[76] y, a la manera del arte, la alzaban ante mis ojos como a un objeto sin valor práctico, bello porque era inútil. Y, en efecto, re- ²⁰ cordé *La visione di Sant'Elena,* atribuida al Veronese,[77] que vi con mi madre en la National Gallery de Londres. El ritmo pictórico fue desnudando sus formas,[78] idealizándola, llevándosela a otra edad. Como Santa Elena, estaba renunciando a la vida, no sólo por el éxtasis, tan parecido al dormir, sino también porque la falta de pintura ²⁵ en sus labios y mejillas me sugirió la decoloración que, con los siglos, hace desvanacer los cuadros del Renacimiento. El profesor se acercó a pasos delicados. ¿Qué iba a hacer? ¿Despertarla? Su gesto era ahora el de un crítico de arte. ¿Habría descubierto, como yo, que eso era un cuadro? El ojo enfermo, abierto y alto; la boca, lista para ³⁰ hablar; y cuando extendió el índice se me ocurrió que iba a explicar que esa sola figura, imaginada por el pintor en la luz de una crepuscular languidez, digna del Veronese, pero sin el colorido, el esfuerzo, la vivacidad y la gran composición del Veronese, tenía que ser de

---

[75] **Pensándolo bien**   Thinking back over it.
[76] **la desprendían . . . realidad**   separated her from the mesh of reality.
[77] **La . . . Veronese**   *Italian,* The Vision of Saint Helen, attributed to Veronese (*Paolo Veronese, Italian painter,* 1528–1588).
[78] **El . . . formas**   The pictorial rhythm was laying bare her figure.

Zelotti.[79] Pero no. Sabría mucho latín, pero no arte. Con voz irritada exclamó:

—Ustedes están distraídos. Algunos, más que distraídos. ¿Es que no les interesa el curso?

Ella compuso modosamente su postura, sin cohibirse. Y el pro- 5 fesor continuó la lección, hasta el timbrazo de fin de hora. Muchos estudiantes salieron al patio. Ella no se movió. Me puse de pie, fui hacia el pasillo del medio y, como quien no tiene intención de conversar sino de dejar caer de paso unas pocas palabras de saludo, le dije: 10

—Casi la regaña el profesor, ¿eh?

Levantó su rostro y al verme se le alegraron los ojos como diciéndome, "ah, es usted: ya sabía que nos conocíamos, ya sabía que usted vendría a hablarme", pero no me dijo eso, sino:

—¿Eh? 15

—Digo que el profesor estaba impaciente . . .

—¿Sí? No lo noté.

—Será que estaba desatenta.

Se sonrió. Una sonrisa dulce, fatigada. Mi apocamiento había disparado su único resorte audaz y me disponía a retirarme.[80] Di un 20 paso, y mientras lo daba me arrepentí de irme; quise volverme; en seguida temí que una vuelta brusca echara a perder la posibilidad de una amistad; además deseé irme para agotar a solas la emoción de ese instante y soñar con ella; y tuve la idea de que, yéndome, acaso ella siguiera pensando en mí; ¿o era que mis palabras habían sido 25 estúpidas y convenía que no me fuera sin redimirme?[81]

VII

Antes de que yo diera el segundo paso, ella se había puesto de pie y con gran asombro mío me dijo:

—Perdamos la clase de griego ¿quiere? Salgamos a la calle, a vagar un poco y conversar. 30

---

[79] **Giambattista Zelotti, (1526-1578.)** *Italian painter, often associated with Veronese because they worked in the same studio.*

[80] **Mi . . . retirarme**   My bashfulness had sprung its only audacious resource, and I made ready to leave.

[81] **convenía . . . redimirme**   that it was wiser that I not go without redeeming myself.

—Encantado —respondí y la acompañé hacia la calle—. Veo
que usted no es de las sabihondas que vienen a la Facultad a sacar
apuntes de todo lo que dicen los profesores. ¿No es estudiosa?
—Leo... Estudiar, no. Sería inútil. La cabeza no me da. Me
olvido en seguida.   5
—No ha de ser tanto[82]...
—Sí. Tengo la memoria muy débil. Hasta sufro de amnesias.
Largas. Por eso no me esfuerzo en nada. Leo y releo. Por gusto. Pero
¿estudiar? ¡Para qué! De todos modos poco es lo que voy a retener.
—Es mejor así —le dije para restar importancia a su debili- 10
dad—.[83] No vale la pena. Lo que nos queda es lo que nos cae en los
hoyos, el agüita justa que necesitábamos.[84] Lo otro resbala y corre.
Que corra. Es lluvia. Hay que quedarse con lo que nos sirve. No
inundarse.
—Gracias —contestó con ironía—. Muy amable. Me está con- 15
solando ¿no?
Al salir a la calle miró hacia arriba, tan fijamente que yo también
levanté la vista para ver qué miraba, acaso un avión. No. No era un
avión. Era una nube blanca, blanca, muy alta, inmóvil, maciza y
de bordes duros.   20
—Lo que no comprendo —dijo sin dejar de mirar la nube— es
cómo ese pedazo de mármol está ahí y no se cae.
Traté de que no nos fuéramos por las nubes[85]: yo quería que
ella me siguiera hablando de sí. Le dije, pues:
—Ah, ya veo. ¿A eso le llama usted tener mala memoria, a olvi- 25
darse del pasado del mármol, del pasado de la nube, a olvidarse de
qué es un pedazo de mármol y qué es una nube? Eso no es ser
desmemoriada: es, simplemente, asombrarse ante lo que va viendo.
Apuesto a que si usted no estudia no es porque le falle la memoria,
sino porque le gusta sorprenderse, y abrir esos ojos, muy grandes, 30
muy grandes, y formar una O con esa boca, y ...
—¿Tengo la cara así, de boba?
—No quise decir eso, sino todo lo contrario, que ...
—Ya sé, ya sé... Pero le digo la verdad. Tengo mala memoria.
Y no me aflige. De veras.   35

82 **No ... tanto**   You exaggerate.
83 **para ... debilidad**   to minimize her weakness.
84 **Lo ... necesitábamos**   All that remains with us is what collects in the hollows,
just exactly the little water we needed.
85 **Traté ... nubes**   I tried to keep us from going off into the clouds.

—Lo creo. ¿Por qué había de afligirse?

—La memoria se me ha roto a pedacitos. Se quedó en el suelo, hecha pedazos. Menos un pedacito, que soy yo. Soy un pedacito de memoria ambulante. Se me ha olvidado todo, menos lo que recuerdo con el pedacito que anda conmigo. 5

—¿A ese pedacito de memoria lo lleva en el bolso?

—¿Le gusta? —dijo, y levantó el bolso—. De Harrods.[86]

—Muy linda.

—Muy lindo. El bolso.

—No. Muy linda. Usted. 10

—Ah, creí que le fallaba la gramática. Gracias.

Fue a bajar a la calle,[87] pero la detuve del brazo porque en ese momento pasaba una bicicleta.

—Gracias, otra vez. ¿De qué hablaba? Ah, sí, de mi falta de memoria. 15

—Y de su pedacito de memoria.

—Sí. Porque no me olvido de todo. Y en algunos momentos tengo mejor memoria que los demás. Otra clase de memoria. Yo, por lo menos, reconozco lo que ya he vivido. Cuando alguien se me acerca lo trato como a un viejo amigo. 20

—Espero que así me trate a mí —dije levantando rápidamente ese As de Oro con que se había descartado.[88]

—¡Claro! Usted es un viejo amigo. ¿No siente que ya hemos tenido esta misma conversación por lo menos una vez antes?

—Si fuera así yo nunca lo habría olvidado. 25

—¡Quién sabe! Hay quienes no pueden recordar.

—¿Recordar qué?

—Recordar que todo esto ya lo hemos vivido antes.

Debí de haberme mostrado perplejo porque agregó:

—¿Pero de veras nunca ha sentido esto? 30

—¿Que esto que vemos ya lo hemos visto antes? Sí... A veces ... No muchas. ¿Usted se refiere a esa impresión oscura, cuando olemos a tierra mojada,[89] por ejemplo, y con el olor nos viene a la memoria todo un hálito de la infancia? Uno retrocede a la infancia...

—En todo caso es la infancia la que lo invade a uno ¿no? Sí, yo 35 he sentido también eso, pero no es lo mismo. Me refiero a otra

---

[86] **Harrod's** *Large department store in Buenos Aires.*

[87] **Fue ... calle** She was about to step into the street.

[88] **dije ... descartado** I said, quickly picking up that ace of diamonds that she had discarded.

[89] **cuando ... tierra** when we smell of damp earth.

experiencia. Más profunda. Últimamente la tengo a cada paso. Es una experiencia continua de haber vivido dos, muchas veces.

Se volvió para mirarme. Como yo —sorprendido porque nunca había escuchado una conversación así— estaba pendiente de sus palabras, esperando la clave final que las aclarase, me preguntó: 5

—Usted no me entiende ¿cierto?

—Sí, creo que sí. Yo he sentido también esa sensación de desmayado. De salir de una nube.

—No es lo mismo, no es lo mismo. Pero no tiene importancia.

Hizo ese movimiento de cabeza con que se avisa que se ha ter- 10 minado un tema de conversación y se va a pasar a otro; se lo impedí:

—No, no —dije retomando el tema—. Usted dijo que yo le parecía un viejo amigo. ¿Con otras personas le pasa lo mismo?

Deseé que me dijera que no.

—No —dijo—. Usted es diferente. A usted lo reconocí . . . Muchas 15 veces, muchas veces en el mismo día, he tenido esa impresión que le digo . . .

—¿Qué impresión?

—La impresión de que lo que yo estaba viendo en un presente ya lo había visto en un pasado. ¿Comprende? La impresión de que 20 lo que en ese mismo momento veía venir de frente, digamos, desde el futuro, en realidad venía de atrás. ¿Comprende ahora? Como . . .

Buscó, con un gesto de impaciencia, una comparación. La encontró:

—Como cuando, al andar de noche por la vereda, nuestra sombra, 25 que nos estaba acompañando por detrás, al pasar por debajo del farol se nos corre hacia adelante. Como cuando, al mirar la calle desde la ventana de una confitería, vemos que el mozo que por la espalda nos está trayendo el té, reflejado en el cristal de la ventana parece venir de la calle. ¡Bah! Impresiones, dirá usted. 30

Y, cansada, se calló. Pero yo:

—Sí. Todo eso está muy bien. Pero usted dijo que yo le parecía un viejo amigo . . .

—Quise decir que con usted ha sido diferente. No fue una impresión, como esa de la sombra o de la imagen que se nos adelantan. 35 Al ver supe,[90] supe, que yo estaba preparada para conocerlo. Usted fue como uno de esos temas musicales que adivinamos apenas vibra la primera nota. Uno los ve venir envueltos en misterio, hechos como . . . como de tiempo . . . Sí, no se ría . . . Hechos de futuro, de

[90] **Al ver supe**   When I saw you I knew.

pasado ¡no sé! Uno puede anticiparse a las notas que vendrán. Usted es para mí como la reexposición de un tema de fuga, previsible antes de haberla oído . . . Antes de haberla oído en esta vida, al menos.

VIII

Entendí muy poco. ¿Muy poco? Creo que no entendí nada. Pero ese "usted es para mí como . . ." fue suficiente. El saber que yo representaba algo en su vida hizo crecer mi esperanza. Quizá alguna vez, en ese laboratorio ideal, yo lograría corporizarme, acompañarla en cada instante y vivir entonces dos veces, en mí y en ella. Ya sintiéndome con derechos a quejarme de su hospitalidad —¿no confesaba haberme acogido en una de sus cámaras?— contesté: —¿Yo, "tema de fuga"? Ya me veo en corcheas.[91] Muy agradecido, pero ¿por qué yo? ¿Por qué yo y no otro? Ayer, al entrar en la Facultad, usted ni me miró. Todas sus miradas fueron para el compañero de al lado. ¿Por qué yo y no él?

—¡Pero cómo! ¡Si usted estaba solo!

—No . . .

—Cómo que no. Lo recuerdo muy bien. Sí, sí. ¿Quiere que se lo pruebe? Usted estaba apoyado contra la pared. Estaba solo.

—No . . .

—Sí, claro que sí. ¡Lo estoy viendo ahora mismo! Hasta se le veían las ganas de estar solo. ¡Como para acercársele![92] Tenía las manos a la espalda. La corbata estaba peor hecha que ahora. ¡Lo que es mucho decir![93] Miraba usted con esos ojos azules que Dios le ha dado. Pero a mí apenas me miró . . . Lo sé muy bien porque yo sí que lo miré. Y mucho. Todo el tiempo, pues ya lo había reconocido. Yo hubiera podido ponerme a canturrear ayer esta amistad de hoy, como quien adivina la frase musical que empieza a desenvolverse.

No quise sacarla del error. Me sentía humillado. Por una especie de astigmatismo todo se le había enturbiado menos Gabriel. Era a Gabriel a quien había visto, a Gabriel, sólo a Gabriel. No había reparado en la existencia de otro bulto al lado de Gabriel. Lo vio solo, único. Y ahora, al hablar conmigo, que era el bulto que ella no

[91]**Ya . . . corcheas**   I can see myself in eighth notes.
[92]**¡Hasta . . . acercársele!**   One could even notice your desire to be alone. There was no approaching you.
[93]**¡Lo . . . decir!**   And that's saying a lot.

vio, creía estar hablando con el otro, el único visto. Recordé cómo se me apareció, descansando el peso en una pierna: ahora por error, cambiaba de pie y se apoyaba hacia mi lado, garza de pie equivocado.[94] Recordé cómo pasó ante Gabriel, ignorándome como a un náufrago. Sentí celos. Pero pensé que, después de todo, en ese 5 momento en que paseábamos por Florida, Gabriel significaba para ella menos que yo, puesto que yo, yo, sólo yo, era el que había conseguido su amistad. Ella no me había visto; y Gabriel no la había visto a ella. El desencuentro justo para que yo pudiera colarme por esa grieta del aire. Me hice el convencido[95]; y con la cautela de un 10 usurpador le pregunté:

—Usted dice que me reconoció... ¿Cuándo? Quiero decir: ¿en qué momento preciso?

—Al primer vistazo no estuve segura. Creí que era uno de mis tantos recuerdos. Recuerdos sin pasado. Ya le dije que vivo con el 15 constante sentimiento de haberlo vivido todo. Entré en la Facultad, lo vi a usted... Y sentí (¿cómo decirlo?) sentí como se siente en los sueños que yo todavía no vivía, pero que iba a vivir de un momento a otro. Sentí que me acercaba velozmente a un instante en que, por fin, viviría de verdad, y entonces todo se haría más claro. 20 ¡Pero me está usted mirando de una manera!

—¡Oh, no! Siga. Es que me interesa mucho.

—Usted estaba allí, y yo caminaba hacia donde estaba usted... Bastaría ¡qué sé yo! una sonrisa. ¡Una sonrisa y usted y yo naceríamos a la vida de un momento a otro![96] Y mientras caminaba 25 sentía el alma vacía. Yo sabía por qué. Era que no me había tocado todavía el turno de vivir. Me faltaba algo; algo que usted tenía que darme. Y pasé a su lado. No ocurrió nada. Usted ni se movió.

—¿Está segura? Puede ser que yo no sonriera ¿pero no vio ningún otro gesto, ningún otro signo de interés? 30

—Nada. Usted ni se movió. ¡Qué desencanto! ¿Habría sido un falso pronóstico? No me animé a hablarlo.[97] A lo mejor, pensé (no, "pensé" no; "sentí") a lo mejor quedo para siempre en algo gris y perdido, sin alcanzar ese punto brillante en que usted y yo podríamos ser amigos. Pero hoy, cuando usted se acercó a hablarme, comprendí 35 que no se había tratado de una ilusión.

[94] **garza de pie equivocado**   a heron standing on the wrong foot.
[95] **Me hice el convencido**   I pretended to be convinced.
[96] **de ... otro**   at any moment.
[97] **No ... hablarlo**   I did not find the courage to speak.

—¿Volvió a sentir lo mismo?

—Más. Sentí más. Antes de que usted hubiera terminado su frase tuve la impresión irresistible de que ya la había oído, dicha por usted mismo, en el mismo sitio, allí, parado al lado de ese banco del aula; y que mi respuesta, ésa que todavía yo no había pronunciado, tam- 5 bién me la había oído, de tal modo que cuando me puse a hablar me parecía que mis propios sonidos me llegaban emitidos desde el futuro tanto como del pasado...

—¿Y?

—Comprendí entonces que usted y yo ya habíamos existido, y 10 estábamos viviendo de nuevo, quizá más gastados, más lisos, más redondos, como cantos en el curso de un viejo río.[98] Y que ese presentimiento de ayer, ese presentimiento de algo inevitable, de algo que ocurriría, quisiéralo o no,[99] porque ya había ocurrido antes, era en el fondo que yo lo había reconocido a usted como a un amigo. 15

—Y es verdad; lo de amigo, es verdad.

—Ahora sé, estoy segurísima, que antes hemos conversado esta misma conversación. Estoy segura que la conversación que tengamos mañana ya la hemos tenido antes...

—¿Pero dónde, cuándo? 20

—Ah —contestó—: somos el eco de un eco de un eco. ¿Quién podría saber cuándo y dónde se lanzó la primera voz? ¿Y qué importa? Somos el eco, pero alguna vez fuimos también aquella primera voz.

Todo lo que decía me era abstruso; y ahora, al tratar de recordar sus palabras, por fiel que quiera ser,[100] no puedo menos de aclararlas 25 a la luz de lo que sucedió después. No hablaba como en la vida. Se interrumpía, buscaba con esfuerzo lo que quería decir, se impacientaba cuando no le venía, a veces callaba, desanimada, hasta que volvía a tomar el hilo, en esto como todo el mundo[101]; pero sus palabras no eran las de todo el mundo. No se avergonzaban de la 30 literatura.

IX

Cruzábamos la plaza San Martín, y...

(Recuerdo que de pronto la naturaleza imitó la literatura. Como

[98] **como ... río**   like rocks in an old river bed.
[99] **quisiéralo o no**   willy-nilly.
[100] **por ... ser**   as faithfully as I might wish to.
[101] **en ... mundo**   in this respect the same as everyone.

cuando un paisaje imita una tarjeta postal. La naturaleza imitó la literatura de mis favoritos impresionistas. ¿Manerismo? ¿Frase pompier? ¿Bisutería? ¿Moñito cursi? Lo que sea. Pero así, en literatura, la vi).

... y a través de un desgarrón del follaje vi un redondel de cielo,[102] tan cerca de mis ojos, y tan lleno de champagne, que me pareció que me lo estaba llevando a los labios en una fina copa de cristal. El alegre burbujeo de esa luz dorada (la última de ocaso) me creó una delicia íntima, galante, de alcoba nupcial. En realidad no fue sólo el color del cielo lo que me cosquilleó el ánimo, sino la embriaguez de sentir la muchacha a mi lado, de rozarle el brazo.

La tarde se apartó por las calles, distraída, anocheciendo, con la cabeza llena todavía con los recuerdos de las claridades del verano pero ya con los pies fríos porque pisaba el otoño.[103]

—Estamos aquí, conversando como viejos amigos, y no nos conocemos los nombres —dije—. Me llamo Miguel Sullivan.

—Miguel, Miguel... —repitió como extrañándose del nombre, como si no lo esperara—. ¡Qué raro! No suena a usted... Y habla con tonada provinciana. ¡Qué raro!

—Todos entonamos al hablar, señorita. Los porteños también. Mi "tonada", como usted dice, es de Tucumán.

—¡Qué raro!

—No es nada raro. Soy tucumano...

—Eso es lo raro.

Casi me le reí en la cara.

—Miguel, ¿eh? —murmuró. Y sonriéndose, agregó:

—Yo me llamo Irma.

—¿Irma qué?

—Irma Keegan.

—¿Keegan? ¡Bueno! Parece que la Argentina está llena de irlandeses —dije pensando en Gabriel O'Brien—. ¿O no es irlandés su nombre?

—Sí es. Pero ¿qué tiene de particular?

—Nada... Que yo también soy irlandés.

—Ya sé —dijo sencillamente. Y yo volví a pensar en Gabriel.

---

[102] **y ... cielo** and through a gap in the foliage I saw a circle of sky.
[103] **La tarde ... otoño** The afternoon departed down the streets, absentminded, turning into night with her head still filled with memories of the bright summer, but with her feet already cold because she was stepping into autumn.

Le tendí la mano. Ella levantó la izquierda (la del corazón, pensé) y se la cogí. Sentí que se me escurría entre los dedos. Curioso. Lo mismo había sentido al estrechar la mano de Gabriel . . .

—Usted escribe ¿verdad? —dijo.

—¿Por qué me lo pregunta? ¿Por este aspecto de bohemio?   5

—Oh no . . . Yo sé que usted escribe. ¿No es verdad?

Un poco por vanidad, gran parte por el deseo de enamorarla y, sobre todo, porque ya la sentía amiga y necesitaba hablar de mí, empecé a contarle mis ambiciones. Lo que había escrito, lo que escribiría. Cada artículo mío —le dije— era el ensayo fragmentario de   10 un sistema de filosofía social que alguna vez formularía.[104] Una sociología de las formas simbólicas en que se expresa el hombre: lenguaje, religión, arte, ciencia, política, historia . . . Le di una imagen magnificada de mi propia vocación, tan magnificada que a mí mismo me pareció increíble; y para probarle que eso no podía ser   15 del todo mentira le ofrecí mi tarjeta[105]: "Miguel Sullivan. Redactor de *La Antorcha*. Domicilio particular: Balcarce 302".

Ella, antes de guardarla, la leyó y comentó:

—Me extraña que pierda el tiempo con eso. Porque usted es poeta.

—¿Poeta yo? ¡Qué esperanza![106]   20

—Sí, usted es poeta, y alguna vez me mostrará sus poemas ¿no?

—¿Poeta yo? ¡Qué gracia! ¡Así que tengo pinta de poeta![107] ¿eh?

—y me acordé de algo y largué una carcajada.

—¿De qué se ríe?

—Me acuerdo de una anécdota de don Lucas Córdoba. Era go-   25 bernador de Tucumán, a principios de siglo. Hombre de ingenio y de autoridad. Un día lo invitaron a una fiesta campera, de muy al norte,[108] casi en Salta. "¡No, si está muy lejos!" "¡Vaya, don Lucas! Habrá doma." "¡Ah, si hay doma[109] . . . !" Y fue. En aquellos tiempos el viaje era un sacrificio. Se hizo la fiesta, pero no hubo doma. "¿Y   30 la doma?", preguntó don Lucas. "Vea, don Lucas, tendrá que disculpar. Como es domingo los domadores se nos han ido. Ahí están los potros, pero ¿quién se les va a animar?" Que no puede ser, que no puede ser. Él, el gobernador, se ha costeado hasta allí nada más

---

[104] **que alguna vez formularía**   that one day I would formulate.
[105] **que . . . tarjeta**   that it could not all be a fabrication I offered her my card.
[106] **¡Qué esperanza!**   There is no hope of that!
[107] **¡Así . . . poeta!**   So I look like a poet.
[108] **de muy al norte**   way up north.
[109] **¡No . . . doma . . . !**   "No, it's too far." "Come on, don Lucas! There's going to be a horse-breaking." "Oh, well, if there's going to be a horse-breaking . . . !"

que para ver a los potros con jinete. ¿Se va a quedar con las ganas?
No faltaba más. A ver.[110] Y don Lucas empieza a buscar con la mirada
a alguien. A cualquiera. Sentado sobre una tranquera hay un paisano.
"¿Y vos[111] no sos domador?", le pregunta don Lucas. "Yo no, patrón". "¡Pero qué raro! Tenés toda la pinta del domador". "¿Ahá? ⁵
Pero no sé, patrón . . ." "Sin embargo . . . qué querés que te diga . . ."
Y don Lucas lo miraba, lo miraba de arriba abajo, pues el paisano,
por respeto, se había soltado de la tranquera. "Sos menudo, nervioso,
patizambo, fuerte",[112] le dijo. "Me parece que sos domador, y de los
buenos". "Si usted lo dice, patrón . . . Pero en la vida he domado[113] ¹⁰
¿eh?" "A lo mejor lo hacés mejor que nadie . . . Estoy seguro que
sabés domar". El paisano se convenció. ¡Si lo decía don Lucas! Lleva-
ron al infeliz, lo enjaretaron sobre un potro y al primer corcovo dio
con sus huesos en el polvo.[114] Risotada general. Y alguien oye el rezongo del patizambo, mientras se restriega la parte dolorida: "¡Vean ¹⁵
a los entendíos![115] Dicen que uno sabe domar y resulta que uno no
sabe!" Y usted, señorita . . .

—Irma.

—Y usted, Irma, me ha visto pinta de poeta[116] y quiere que yo
me ponga a domar un poema. No, gracias. No voy a hacer el ri- ²⁰
dículo . . . No soy poeta, no. Con lo que escribo me basta y sobra.

—Ya sé, ya sé que usted anda con un llavero de muchas llaves
importantes en el bolsillo. La política . . . ¡La filosofía! ¡Ay, qué
miedo! Hasta el folklore[117] . . . Ya veo, ya veo. Escenas costumbristas,
con domadores . . . Todo muy importante . . . Pero ¿nunca ha oído ²⁵
una llavecita, una entre todas, que le hace tin-tin? Revise, revise su
llavero. Y cuando la encuentre abra con ella la puerta de la poesía.

—Usted es la medio poeta . . .

—¿Yo? —exclamó—. ¡Ojalá! Pero no. Siento cosas. Nada más.

—Habla como poeta. ¡Suelta cada frasecita![118] ³⁰

---

[110] **Él, el gobernador . . . ver**   He, the governor, had paid his own way that far only
to see horses with riders. Was he going to be disappointed? That would be the
day. Come on, let's see.
[111] **Vos,** *with a corrupted form of the* **vosotros** *verb form, is used, in Argentina and
other countries, as a variant of the* **tú** *form.*
[112] **Sos . . . fuerte**   You're small, quick, bowlegged and strong.
[113] **Pero . . . domado**   But I've never broken a horse in my life.
[114] **dio . . . polvo**   he banged his bones in the dust.
[115] **¡Vean a los entendíos!**   These are the guys who know everything.
[116] **me . . . poeta**   think I look like a poet.
[117] **¡Ay . . . folklore**   Oh, how awful. Even folklore.
[118] **¡Suelta cada frasecita!**   You let loose with such lovely phrases!

—¡Qué horror! No lo haré más.

—¡Pero si le queda bien![119]

—¿Hablar con frases? ¡Qué horror! Como no hablo con nadie...
De tanto hablar a solas ya no sé hablar...
Se detuvo y levantó un brazo. Era de noche. La calle estaba 5
solitaria. Las casas —feas de día— se recataban en la negrura y
contribuían así, con su modestia, a la belleza de la hora. Cuando
Irma levantó el brazo acudió, como llegando de un vuelo —aunque
con un rezongo de hierros— un tranvía. Yo sé que un tranvía es un
tranvía. Pero en ese momento era algo que tenía que ver con la 10
muerte.[120] Las vías, las ventanillas iluminadas, los pasajeros inmóviles
y amarillos, el conductor embozado en su capa, la vejez de todo el
coche me sobresaltaron como si de pronto hubiera descubierto lo
terrible, oculto bajo el disfraz de tranvía. Irma subió, me sonrió tristemente desde su asiento. Y cuando el tranvía, con su rechinar de ca- 15
rreta y sus relámpagos eléctricos, se fue echando chispas y arrastrando
por la calle su luz mortecina, tuve la corazonada de que ya no la vería
más.

X

Llegué tan tarde a *La Antorcha* que el bueno de Genovesi[121] me
esperaba, preocupado: 20

—¿Dónde miércoles te metiste?[122] Don Mario ha preguntado por
vos como veinte veces. Te llamé por teléfono, pero no estabas. Yo
escribí esto por vos; a ver qué te parece.

—Gracias. No debiste haberte molestado, viejo. Ahora mismo voy
a hablar con Don Mario. 25

—¡Te va a dar un levante![123] ...

No me dio un levante, pero cuando le propuse el tema de un
editorial me dijo muy serio:

—Ya no hay tiempo. La página está cerrada.

—Discúlpeme, compañero. He estado caminando por las calles. 30
Ni sé por dónde. Cuando me acordé ya eran las diez.

[119] **¡Pero... bien!** But it is becoming to you.
[120] **que ... muerto** that had to do with death.
[121] **que ... Genovesi** "good old" Genovesi.
[122] **¿Dónde miércoles te metiste?** Where in tarnation have you been?
[123] **Te ... levante** He's going to give you a bawling out! [your "comeuppance"].

Está bien. ¿Qué tal la Facultad?

—Así, así.

—Ojo, compañero. Le van a enseñar a escaparse, a mirar al vacío.

—No crea.

—Ah, si conoceré a esa gente.[124] Dan las espaldas a la realidad; 5
y como las espaldas no tienen ojos . . .

—No exagere, Don Mario.

—Acuérdese de lo que le digo. Y hablando de otra cosa: ¿no ha oído nada por ahí?

—¿Oído qué? 10

—Rumores. Una conspiración en Campo de Mayo.[125]

—No, nada.

—¡Se está armando una . . . ! A Yriyogen lo van a sacar con cajas destempladas un día de estos.[126] Desgraciadamente no vamos a ser nosotros, sino los generales. Bueno, habrá que prepararse . . . ¡Ah! 15
esta noche usted está de guardia ¿no?

—Sí. ¿Quiere darme algo que hacer?

—Para la edición de mañana, nada. Pero quisiera un buen editorial a dos columnas, en negrita, cuerpo diez, para pasado mañana. "Técnica y capitalismo". A ver si le sale algo bueno. Una lección 20
de economía política. En estas revistas le he señalado algunas estadísticas.

Fui a mi escritorio y estudié las estadísticas. El sótano de la casa resonaba con el fragor de la imprenta. Me puse a escribir el esquema de mi editorial. La ciencia promete nuevas fuentes de energía, pero en 25
el desorden capitalista la técnica sirve a los intereses de una clase imprevisora. Análisis de la crisis: superproducción y miseria, inflación y desempleo, autarquías e imperialismos, unificación mundial y guerras . . . ¡Era inútil! No me salía. ¿Qué me pasaba esa noche? Siempre había escrito con la conciencia eficazmente comunicada con 30
mis lectores. Pero Irma se me había derramado como un buen vino tinto[127]; y un tumultuoso corso de carnaval, con máscaras, y carros ornamentales, y murgas, y serpentinas, y antorchas, se me metía por calles nunca transitadas.[128] Toda mi alma crecía hacia sus suburbios y

---

[124] **si . . . gente**   I sure know those people.
[125] **Camp de Mayo**   Army Headquarters.
[126] **A Yriyogen . . . estos**   They're going to kick President Yriyogen out of office one of these days.
[127] **Pero . . . tinto**   But Irma had flowed into me like a good red wine.
[128] **se . . . transitadas**   was running through streets (of my mind) that I had never frequented.

yo mismo me sorprendía de verme tan ensanchado. No era menos inteligente que antes ni sabía menos cosas: inteligencia, saber, se lanzaban también al carnaval y era difícil, a esa hora de la madrugada, a solas en la redacción, llamarlos, arrancarlos de la fiesta para que cumplieran su deber. Por primera vez sentí disgusto por el periodismo. 5 ¡Ser inteligente, saber cosas! ¿Qué importaba eso? Escribir editoriales era renunciar a mis riquezas, era adelgazarme en una lámina gris.[129] Las palabras de un editorial eran como un desfile de ovejas por los laberintos del matadero. Por allí van de una en una, balando y juntándose en grupos, alzando la cabeza para saltar o bajándola para de- 10 tenerse, pegadas a los corrales en curva que recorrían forzosamente hasta salir a la muerte.[130] Cada palabra abstracta que escribía me remordía como una traición a otra palabra, la poética, que yo no conocía aún pero a la que debía buscar en lo hondo de mí mismo y pronunciar con sinceridad. Yo hubiera querido escribir, no sobre ese 15 desfile de ovejas, sino sobre ese otro corso de carnaval que me enajenaba y me descubría barrios desatendidos. Golpeé con fastidio una tecla; la golpeé varias veces, frenéticamente (era la X, la X de las tachaduras)[131] y me puse de pie. Era inútil.

Oí la voz de Genovesi: 20

—¿Qué te pasa?

—¿A mí? Nada. ¿Por qué?

—Estás hablando solo.

—Vamos, no hagas chistes.

—Si no es chiste. Hablabas solo. ¿Estás loco? Parecías otro, che.[132] 25 Te lo juro. Hasta la cara la tenías distinta.[133]

Casi me reí: ¡a lo mejor Genovesi me había visto con cara de Gabriel!

En la columna de hierro que unía la imprenta con la redacción y por donde subía y bajaba el tubo con originales y pruebas de galeras 30 sonó el llamado del Regente[134]: las páginas estaban ya armadas, listas para la matriz. Yo debía dar el último vistazo y cerrar definitivamente ese mensaje que hombres del martes lanzaban a hombres del miér-

---

[129] **era ... gris**   was to flatten myself down into a gray metal sheet.
[130] **pegadas ... muerte**   pressed against the curves of the corrals that they were forced to follow until they arrived at their death.
[131] **era ... tachaduras**   it was the X, the X that crossed out words.
[132] **Parecías otro, che**   You weren't yourself, man.
[133] **Hasta ... distinta**   Even your face looked different.
[134] **sonó ... Regente**   the press foreman's call sounded.

coles.[135] Llegué a la escalera y descendí en caracol hacia el taller. Las notas frágiles, agudas y movedizas de las linotipos ya habían callado: sólo una, como después del "poco sostenuto" del primer movimento de la Séptima Sinfonía de Beethoven, reiniciaba el tema con su voz de óboe; y un grupo de obreros atentos a sus instrumentos se aprestaban al "vivace" de la gran rotativa.   5

Me fui a casa. La madrugada era fría, pero me quedé vagando por el barrio de San Telmo. Muy oscuro, que me daba la ilusión de vivir en un siglo atrás.[136] Uno que otro palenque abandonado en las veredas desde la época de Rosas,[137] la huella de las carretas en el adoquinado, las esquinas filosas,[138] las rejas y balconcillos volados, tenían historia. Mis pies, a cada pisada, pisaban, no un punto, sino la túnica nerviosa[139] de toda la calle, de todo el barrio; por esas nervaduras de la piedra me llegaba la excitación infinitamente ramificada de un tiempo ido.[140] Inquieto por este sentimiento de que yo no estaba   15 donde estaba, subí a mi pieza y, de paso, al columbrar desde la azotea los techos tétricos de Buenos Aires, hacia el lado del río, pensé en Gabriel (me lo imaginé todavía allí, mirando las aguas torvas de la Constanera), pensé en Irma.   10

Me incomodó el pensarlos juntos.[141]   20

XI

Al día siguiente —miércoles— me desperté cerca de las doce. Y tan enternecido que adiviné que Irma me había acompañado en mis sueños. No recordaba ninguna imagen de ella (apenas unos verdes muy translúcidos, móviles y acuáticos),[142] pero esa dicha que

[135] **ese . . . miércoles**   that message that Tuesday's men would hurl at Wednesday's men.

[136] **Muy . . . atrás**   [The district] was very dark and gave me the illusion of living a century back.

[137] **Uno . . . Rosas**   A palisade fence or two abandoned on the street since the time of Rosas. (*Rosas was a military dictator of the last century*).

[138] **esquinas filosas**   sharp angles of the street corners.

[139] **túnica nerviosa**   nerve fabric.

[140] **la excitación . . . ido**   the excitement, in its infinite ramifications, of time gone by.

[141] **Me . . . juntos**   It made me uncomfortable to think of them together.

[142] **apenas . . . acuáticos**   barely some translucent, shifting sea-greens.

respiré al despertarme era como la fragancia que en un cuarto vacío nos indica que por allí ha pasado una mujer. Volví a cerrar los ojos y quise modelar, en esa nube sentimental que flotaba sobre mi yo dormido,[143] las figuras de Irma y la mía, amándose. Se me escapaba la nube entre los dedos de la fantasía. Yo la amasaba, la reconstruía 5 hasta que me daba el placer que esperaba. Por momentos la entreveía tan real como en la vida, y se me abrían los ojos, y las cosas de mi cuarto parecían tocadas por las manos de ella. ¡Si pudiéramos vivir juntos! Sabía que era imposible, pero el imaginarlo era ya un placer. ¿Casarme? Sí, eso hubiera sido lo práctico.[144] Pero en mi duermevela 10 gozaba más imaginándola amante, no esposa. Eché las piernas fuera de las cobijas, para levantarme. Y, como si ese gesto activo me hubiera movido la voluntad, me decidí a declarar a Irma esa misma tarde que yo esperaba que alguna vez fuéramos novios.

Fui a almorzar, fui a revisar libros viejos a los cambalaches de la 15 calle Corrientes, fui a las cinco a la Facultad. Ni a esa hora, ni a la otra, ni a la siguiente, vi a Irma. Había preparado mi ánimo para hablar de amor: al no encontrar a Irma el día se me hizo odioso.

Salí decepcionado y con el sentimiento de haber hecho el ridículo ante mí mismo.[145] Tomé por las calles en que paseamos juntos la 20 tarde anterior. Las interrogaba como si pudieran decirme dónde estaba Irma. No me dijeron nada. No la habían visto nunca. Fui al Once.[146] Bordeé la estación y penetré en un túnel, abierto frente a la plaza. Di unos pasos y me detuve a mirar sus muros. Se torcían en la oscuridad. Sudaban a gotas. Cuando olfateé los olores a húmedo 25 encontré, perdido entre ellos, un vaho de orines viejos.[147] Llegué a un trecho desde donde ya no pude ver ni la boca de salida ni la de entrada. Una lámpara parecía mirar también, en espera de que sucediera algo. Oí un rasguño. Nadie. Y otra vez una uña que rascaba la pared. ¿Algún bicho? Tuve una sensación de encierro; y, cosa ex- 30 traña, una fruición de novela, de héroe atrapado. Salí al otro lado como a otra ciudad. Y tuve remordimientos por no haber sabido apurar hasta el fondo, en el segundo preciso, ese mareo, ese estar a

---

[143] **sobre mi yo dormido**   over my sleeping self.
[144] **lo práctico**   the practical thing to do.
[145] **el sentimiento . . . mismo**   the feeling of having made myself ridiculous.
[146] **Fui al Once**   I went to Once Plaza.
[147] **Cuando . . . viejos**   When I sniffed the humid odors, I perceived among them the whiff of stale mustiness.

punto de desmayarme en la luz de una novela.[148] Algo mío, algo que estuvo a punto de aflorar,[149] se me había perdido en el túnel. (Creí que se me había perdido para siempre, pero no: ya se verá más adelante cómo lo reencontré.)

¿Qué hora sería? ¡Bah! De todos modos no iría a trabajar. Estaba deprimido. Pasaban hombres, mujeres. ¡Qué caras tan abotagadas! No había nada común entre esa gente y yo. Argentinos, todos somos argentinos. Sin embargo, al mirar esas caras tan poco inteligentes en las que había tanto espacio para la vileza, los sentí extranjeros. No pensé en que tal vez el extranjero fuera yo. Ojos turbios, párpados hinchados, labios caídos... ¿Por qué tanta gente grosera, en la Argentina? ¿Y qué desastres seguirían saliendo de esa grosería? Pueblo amodorrado en medio de su digestión difícil. Ahí estaban comiendo, siempre comiendo. Miré el interior de un restorán sucio. Más allá, una pizzería maloliente... ¡Qué caras, qué caras! ¿Era ésa la "realidad" de que hablan los novelistas? "Yo no soy novelista —me dije—, pero si escribiera cuentos o novelas rechazaría esta realidad". Volví a casa. Al pasar por la galería me saludó la voz de Acevedo:

—¿Tan temprano?

Miré hacia su dormitorio, que tenía las puertas entornadas.

—Sí.

—Apenas son las diez.

—No me siento bien. No he ido al diario.

—¿Qué le pasa?

—No, no es que me sienta enfermo. Solamente fatiga.

Me despedí y subí a mi cuarto, abrí la puerta y me paré allí, estupefacto: ¡Irma!

XII

Sentada en mi sillón leía a la luz del velador. Me quedé en el vano de la puerta sin dar crédito[150] a mis ojos. Por un instante me pareció

---

[148] **Y tuve . . . novela**   And I regretted not knowing how to fathom, at that precise second, that feeling of otherness, that being on the verge of swooning in the rare atmosphere of a novel.

[149] **Algo . . . aflorar**   Something all my own, something that was about to come to the surface.

[150] **sin dar crédito**   without believing.

que Irma estaba muy lejos, en su casa, en una soledad tan sellada
que ella nunca hubiera sospechado que alguien pudiera observarla;
pero que una lente mágica me la acercaba y yo asistía a mi propia
ausencia[151] en esa habitación que no era mía.

Irma, sin embargo, se volvió hacia mí y con pasmosa tranquilidad 5
me dijo:

—¡Querido, qué temprano llegas!

Se levantó y empezó a preparar el mate. Parecía no advertir mi
asombro. Yo no di ni un paso, no pronuncié ni una palabra. La
miraba, la miraba paralizado, mudo, casi sin respirar, sin saber qué 10
hacer. ¿Cómo había entrado? ¿que hacía Irma allí? Casi dudé que
existiera. Cuando niño, yo lanzaba al espacio las figuras de mi imaginación: ¿estaría de grande volviendo a lo mismo?[152] Repentinamente
se me había suprimido en el interior la distancia entre mis sueños y
mis experiencias reales. Mis sueños de la mañana se habían hecho 15
reales como si una mano de artista hubiera dado verdadera vida a
los esbozos con que mi imaginación comenzó a modelar horas antes.
Y en ese salto de una dimensión a otra perdí mis movimientos. Irma,
en cambio, se movía y cada dedo suyo articulaba exactamente la
realidad. Conocía el sitio de cada cosa: la azucarera, la yerba y el 20
mate.

"Lo que es la bombilla, seguro que no la encuentra",[153] me dije; y
seguí a Irma con la mirada. ¡Encontró la bombilla! "Esta —me dije
pensando en Irma—, me ha revisado la casa mientras estaba sola, y
por eso conoce el sitio de cada cosa". Y un relámpago de vergüenza 25
me pasó por la frente,[154] al imaginarme que quizá, al abrir el cajón
del ropero, hubiera visto mi calzoncillo sucio con la última polución.[155]

Su semblante había variado algo. Pero al deshacerse y reconstituirse
de nuevo lo reconocí en su sustancia apaciguada.[156]

Al fin pude andar. Dos, tres pasos; y me senté en el sillón que ella 30
había ocupado poco antes. La observé, callado.

—¿No tienes ganas de hablar? —me dijo—. Bueno. Quietito. Yo
sé lo que son estas cosas. Uno viene del trabajo y quiere echarse a

---

[151] **y ... ausencia**   and I was present at my own absence.
[152] **¿estaría ... mismo?**   Was I, as a grown man, reverting to the same (conduct)?
[153] **Lo ... encuentra**   As for the metal straw, she'll certainly never find it.
[154] **Y ... frente**   And a flash of shame streaked across my mind.
[155] **mi ... polución**   my shorts stained with the latest pollution.
[156] **Pero ... apaciguada**   But as it dissolved, then reshaped itself, I recognized the
gentle stuff it was made of.

descansar. Quietito. En seguida te cebaré unos mates. Y luego hablarás ¿No? Estás cansado . . .
Tuve que entrar en su juego. Tuve que tutearla.
—¿Cómo crees . . . ? ¿Cansado a tu lado? No, Irma, nunca . . . ¡Ya hablaré, ya hablaré! Ahora déjame mirarte, mientras tú charlas y   5
andas . . . Irma ¡si me parece imposible!
Me interrumpí a tiempo. Unas palabras más y le hubiera confesado que su presencia en mi cuarto era impropia. Contuve mi necesidad de averiguar las razones de su familiaridad. Temí que una explicación disipara mi dicha, como se disipa el poema cuando las palabras se-   10
gregan su lógica. Además, Irma parecía una sonámbula; y un súbito llamado a la realidad, al despertarla, la habría hecho caer desde lo alto de su cobertizo bañado de luna.[157] Ciertos escrúpulos me inquietaban. ¿No habría en todo esto una tremenda equivocación? ¿No me tomaría Irma por otro? Como en aquel cuento de una pastora de   15
la Edad Dorada, que había recibido de su secreto admirador Teodoro cartas con la firma "Teo" y, por equivocación, se entregó a los brazos de un tal Doroteo al oír que se llamaba también, "Teo". Uno calienta la pava y el otro se toma el mate.[158] ¿No me tomaría Irma por otro? ¿No habría entrado en Balcarce 302 en vez de entrar en otra casa y   20
hablaba conmigo creyendo hablar con otra persona? Pero tenerla junto a mí, en mi habitación, era lo que yo había deseado con toda la fuerza de mi alma ¿no? Pues, ya la tenía. ¿Qué más quería? Decidí aceptar las cosas tal como se me presentaban. Lo que más me extrañaba[159] en la conducta de Irma era su falta de emoción, sobresalto,   25
entusiasmo, ¡cualquier cosa, en fin, que demostrara conciencia del paso que había dado![160] No. Ni un sonrojo, ni un brillo travieso en los ojos. Era la primera vez que pasábamos juntos, a solas, pero sus palabras podían ser de despedida tanto como de inauguración, tan corrientes sonaban.[161] También sus gestos se redondeaban: gestos de   30
escultura que se repite de calco en calco. Me pasó por un feo callejón de mi pensamiento la sospecha de que Irma fuera una putita; en

---

[157] **desde . . . luna**   from the moon-bathed heights of the overhanging cave.
[158] **Uno . . . mate**   One boils the water and the other drinks the tea (*that is,* One does the work and the other reaps the glory).
[159] **Lo . . . extrañaba**   What surprised me most.
[160] **que demostrara . . . dado**   that might indicate an awareness of the step she had taken.
[161] **pero . . . sonaban**   but her words might have well been for a farewell as for a first meeting, they sounded so matter of fact.

menos de un segundo calculé cuánto dinero me quedaba en la billetera, por si acaso. ¡Qué vergüenza! Pero así es el hombre.

—¿Has escrito poesía? —me preguntó mientras desenchufaba el
calentador, pues ya hervía el agua.

—¿Poesía? No, claro que no. ¡Lo preguntas con una tranqui- 5
lidad . . . ! Como si la poesía fuera una de esas cosas que hacemos
todos los días . . . Una carta . . . ¡qué sé yo! . . . algo fácil . . .

—Para ti no debiera ser difícil. ¿La poesía no es una especie de
hálito de tu tiempo personal,[162] que te sale de la boca y lo ves enfriarse
en palabras, exhalación de vapor caliente condensado en el aire frío? 10
Y tú estás en muy buenas relaciones con el tiempo. La poesía debiera
serte fácil, tan fácil como respirar. Respirar tiempo.

—Qué idea: ¡la poesía como una respiración! No, Irma. Yo no
sé qué es poesía, pero, sea lo que sea, debe de ser algo más difícil que
respirar. 15

—No me comprendes . . .

—Bueno, contestando tu pregunta: no he escrito poesías. ¿No te
dije que la poesía no me viene? Tengo que escribir otras cosas.
Periodismo . . .

—Ya verás que eso no es lo tuyo.[163] Tendrás que dejar *La An-* 20
torcha.

—Eso sí que no. Es el único diario donde puedo publicar mis ideas.

—Tú no eres político. Ni siquiera sociólogo. Mírate, mírate bien
adentro: eso sí es tuyo. Allí está, toda ovilladita,[164] tu vida ya madu-
rada y definitiva. 25

—¡Qué buen programa de vida! Un programa sin fines. ¿Y qué
hago yo con esa vida ovillada, como tú dices? ¿Tirar de la punta del
ovillo; y cuando el hilo está ya extendido, volverlo a ovillar? Eso no
es vivir.

—¿No es vivir tener el alma en un hilo? ¿No es vivir estar con- 30
forme con lo que uno es? Y ese hilo no es muy largo, porque,
¿sabes? . . . ¡bueno, nada!

—¿Qué ibas a decir?

—No, nada.

—Algo me ibas a decir, ¿qué es? 35

—¿No has pensado en que podrías morirte joven?

---

[162] **La . . . personal**   Isn't poetry a kind of breath of your personal time.
[163] **Ya . . . tuyo**   You'll see that that's not for you.
[164] **toda ovilladita**   all wound in a little ball of yarn.

—¡Qué!, ¿me ves cara de moribundo?[165]
—Apresúrate, Miguel. Repliégate en seguida.[166] Algo me dice que morirás joven.
—¿Y no te han dicho cuándo, más o menos?
—Ah, no crees, ¿eh? Bueno, mejor. Pero apresúrate.   5
Me reí.
—¡Estoy lleno de vida! —exclamé hinchando el pecho.
Bajó la cabeza y añadió:
—Te he visto abrazándome, debajo del agua, ahogados los dos.
—Un sueño, Irma. Pero la vida no es sueño.   10
—¿Estás seguro?
—¿Seguro de qué?
—¿De que la vida no es sueño?

XIII

Había fruncido el ceño (fue el hueso lo que pareció arrugarse) y la arruguita del ceño fue tan imperativa que a su voz de "¡orden!"   15
todas las líneas —cejas, ojos, nariz, labios, mentón— corrieron rápidamente a reagruparse en una fisonomía nueva, listas para la ofensiva; expresión de tal seriedad que me impacienté un poco y me entraron ganas de discutir,[167] de demostrar mi poder dialéctico, de hacer retroceder a Irma en esa línea de batalla que presentaba su   20
rostro cejijunto. Yo había advertido, apenas la oí hablar por primera vez, que era inteligente; pero en todo momento —y más cuando empezó a divagar sobre el pasado y el futuro— conservé una actitud protectora, de superioridad intelectual. No había nacido la mujer que me corriese con la parada.[168] Engolando la voz, y con zumba, le   25
dije[169]:
—Ah ... Es que tenemos que representar un papel ya escrito, ¿no? El último acto de *Rosmerholm,* por ejemplo. Nos vamos al río y ¡cataplún! nos hundimos de cabeza, como Rebecca y Rosmer, ¿eh?

[165] **¿me ... moribundo?**   Do I have the face of a dying man?
[166] **Repliégate en seguida**   Pull yourself together at once.
[167] **y me ... discutir**   and I got the urge to argue.
[168] **No ... parada**   The woman who was going to outdo me wasn't born yet.
[169] **Engolando ... dije**   Deepening my voice and with a little banter, I said to her.

¿Por qué no tirándonos desde una torre o envenenándonos? También hay finales así en la literatura . . .

—No comprendes, no comprendes . . .

—"No comprendes, no comprendes . . ." Siempre me dices lo mismo. ¿Qué es lo que hay que comprender? 5

—Que no representaremos ningún papel escrito por otro: representaremos nuestra propia vida. Si nos ahogamos no será la primera vez. Será porque ya nos hemos ahogado antes.

—¿Ahogarme yo, que vengo de la montaña? Los de la montaña no nos ahogamos. Pero, en fin, pase . . . Lo que no pasa es eso de que 10 somos actores de teatro.[170] Aunque representemos nuestra propia vida, como dices, siempre es teatro. El mundo, después de terminado el quinto acto, comienza de nuevo la función. Y tú y yo en los mismos papeles, ¿no es esto?

—No lo podemos remediar. 15

—Por lo visto el hombre ya ha hecho en la tierra lo que tenía que hacer; y en adelante todo es repetirse. El mundo es una serpiente que, como no tiene otra cosa que hacer, se muerde la cola, ¿eh?

—¡Es curioso! ¡Yo siento con tanta frecuencia, y tan patente, que esta vida es repetición de otra anterior! ¡Y tú no! 20

—Lo curioso, Irma, es que tú, que, según me has dicho, tienes mala memoria, y hasta amnesias, recuerdes tanto . . . ¿No te parece (¡cómo diré!) un poquito contradictorio?

—No, ¿por qué? Los recuerdos se me descomponen en seguida,[171] es verdad. Se me descomponen como cadáveres. Los quemo. Arrojo 25 al viento sus cenizas. Y no me importa: son recuerdos insignificantes. Demasiado próximos. Pero hay otros recuerdos más lejanos. Recuerdos de otra estación.

—¿Recuerdos de ante-cuna?

—Sí. ¡Qué bien lo has dicho! 30

—¡Bah! Si se dice "ultra-tumba", ¿por qué no se iba a decir "ante-cuna"? Juegos de palabras.

—No creas. "Recuerdos de ante-cuna". Sí. Es eso. Y de pronto veo que he bajado a visitarlos: son mis muertos, mis grandes muertos.

—¿Y yo soy uno de ellos? ¡Vamos, doña Perséfona![172] ¿No crees 35 que es demasiado? Y todo porque de vez en cuando haces despierta

---

[170] **Lo . . . teatro**   What I won't believe is this thing about being actors in a theatre.
[171] **Los . . . seguida**   For me memories decompose quickly.
[172] **doña Perséfona**   Lady Persephone (*Greek goddess of the underworld*).

lo que solemos hacer dormidos: disparatear. ¿Quién va a dar importancia a esa ilusión?

—Ya te dije que no es ilusión. Ultimamente es una experiencia casi continua. Es como un relámpago de memoria, y a la luz de ese relámpago siento que alguna vez (pero, ¿cuándo?) el universo se 5 dio así.[173]

—Ilusión.

—Y más aún: siento como si en aquella vez anterior también hubiera recordado un pasado igual, y en ese pasado otro momento idéntico. Y así.[174] Me veo a mí misma como en una galería de espe- 10 jos: mi imagen se va perdiendo, siempre repetida, hasta lo infinito.

—Ilusión.

—Primero creí, como tú, que era ilusión. Ahora creo que en esos momentos perforo el tiempo. Es un collar interminable. Cada cuenta, un agujero.[175] Y por los agujeros miro simultáneamente las sucesivas 15 vueltas. Las vueltas de la existencia . . .

—¡Bravo, bravo! Deberías escribir novelas. ¡Qué viaje por el Tiempo! ¡Wells y su *Time Machine* se quedan chiquitos a tu lado![176] —le dije velando la ironía con una voz cariñosa.

—¡Pero no comprendes! No es un viaje por el tiempo. Yo me 20 quedo en el mismo sitio. Como quien diera una vuelta completa a una circunferencia y se parara en el mismo punto,[177] y tuviera conciencia, no del viaje, sino de haber estado en ese mismo punto. ¿Comprendes? No tengo conciencia del intervalo entre este minuto que estoy viviendo y el mismo minuto que viví. Claro que toda la rueda 25 del mundo ha recorrido esa vuelta, pero las gentes no recuerdan. Yo tampoco recuerdo la vuelta y todo el curso del pasado, pero sé que la rueda es viejísima en vueltas y, de tanto en tanto, ciertas veces más vivamente que otras, recuerdo que la situación en que estoy ya la viví . . . 30

—¡Ah, magnífico! El mundo es como Miss Havisham, en *Great Expectations:* la locura, caminando en círculos, con un anillo al dedo; el anillo de unas bodas que nunca se consuman.[178]

---

[173] **el . . . así** the universe occurred this way.
[174] **Y así** And on and on.
[175] **Cada cuenta, un agujero** Each bead, an opening.
[176] **se . . . lado** are small stuff compared to you.
[177] **Como . . . punto** Like someone taking a complete turn around a circumference and stopping at the initial point.
[178] **el anillo . . . consuman** the ring of a marriage that is never consummated.

—Para ti todo es literatura —exclamó fastidiada—. ¿Todo lo vives en los libros? ¿No vives nada propio?[179] Cada vez que abres la boca se te asoma un libro . . .

—Sí —contesté disimulando el golpe,[180] pues me dolía que todos me acusaran de ser un pájaro disecado, relleno con paja de libros—. Vivo como el que más.[181] ¿Por qué diablos cree la gente que soy libresco? ¡Libresco!, ¿y por qué no vitalizador de libros? Como la cebra: ¿blanca con estrías negras o negra rayada de blanco?

—¿Y por qué ser cebra?

Di ese respingo que da el orador cuando un fotógrafo, sin avisarle, lo fotografía entre el estampido y el fogonazo del magnesio.[182] ¡Me fotografiaron cebra!

—No, si yo vivo. Vivo como el que más. Yo también soy capaz de sentir esas cosas raras . . . Y hasta te las puedo explicar . . .

—Con otro libro . . .

—Y bueno, ¿qué tiene de malo eso? Pero déjame explicarte. Es una distracción, ¿no comprendes que es una distracción? Sientes una especie de estrabismo. De estrabismo espiritual, claro, no como el de nuestro profesor de latín . . . Con un ojo del espíritu, el ojo distraído, ves una cosa; con el ojo atento la vuelves a ver. Y entonces una imagen te parece reproducción de la otra. Y crees haber vivido dos veces. Absurdo, ¿verdad? Pero por lo mismo que es absurdo,[183] ahí está la explicación. Como normalmente el recuerdo nos liga al pasado, ¿no será que tú crees que lo que vives ahora tiene que haber sido vivido antes, en un pasado, puesto que lo recuerdas? Es una metáfora. Todo es una gran metáfora. Por metáfora llamas "pasado" a ese vértigo que te hace caer en un tiempo vacío.[184]

Esperé una respuesta, pero ella no hizo ni un gesto. Perdió interés. Abandonó la discusión. Me dejó sus ojos y se fue ciega vaya a saber por qué noches mentales.[185]

—¿Me atiendes, Irma?

Me hizo señal de que sí.

[179] **¿No . . . propio?** Don't you live anything that is your own?
[180] **disimulando el golpe** letting the blow pass by.
[181] **Vivo . . . más** I live like the best of them.
[182] **entre . . . magnesio** between the pop and flash of the magnesium.
[183] **Pero . . . absurdo** but for the very reason that it is absurd.
[184] **Por . . . vacío** By means of a metaphor you call the "past" that vertigo that makes you fall into empty time.
[185] **se . . . mentales** she wandered off blind, through who knows what mental nights.

—¡Pero convertir esas impresiones en teorías! —proseguí—. ¡Eso de que el mundo va y viene, en órbitas cerradas y repetidas, en un eterno retornar! Francamente ... Lendel, con mulos en la noria.[186] Francamente ...

Irma era un abismo. Mis palabras se despeñaban a grandes tum- 5
bos.[187] Nunca oí que golpearan el fondo. Desde el borde seguí arrojando palabras:

—La idea es emocionante, lo admito. ¡Pero rematadamente desatinada! Imagínate —y di un brinco porque se me encendieron las cargas de pólvora de mi dialética—: el mundo, Roca-de-Sísifo.[188] 10
Máquina rotatoria hecha con un número fijo de átomos. En un tiempo infinito un Dios-Sísifo (sería un dios castigado, como ves) un Dios-Sísifo la empuja a lo largo de todas las combinaciones posibles, hasta que de pronto cae desde la cúspide hasta el pie de la montaña, y hay que empezar de nuevo. O un Dios-niño: juega con su kaleidoscopio 15
y lo hace girar hasta que los vidrios de colores vuelven a formar las mismas figuras. O un Dios-dormilón: nos está soñando y mejora su sueño en noches sucesivas; así, vamos ensayando poco a poco un papel predestinado que representaremos ante el Juicio Final, cuando ese dios despierte y abra los ojos. O un Dios-relojero: ha atrasado su 20
reloj veinticuatro horas justas. Cuando el reloj da la hora es la hora de ayer la que da, no la de hoy. O un Dios-gallina que, para divertirse en su aburrida eternidad, pone un huevo, lo empolla y, cuando el huevo se rompe, del cascarón sale, ¿quién? ¡Dios mismo!, que vuelve a poner otro huevo, y a empollarlo, saltando así de huevo en huevo 25
mientras el huevo, con todo su contenido, se repite, sin que lo sepamos nosotros, que estamos allí, en su clara y en su yema. O un Dios-ilusionista —y aquí solté una carcajada, porque ya había llegado a la locura—, que crea un mundo instantáneo *m* dándole añoranza de una *a* que nunca existió y el anhelo de una *z* que nunca existirá, y tú le 30
descubres la trampa y sabes que no hay *aes* ni *zetas,* sino *emes* consecutivas ... ¡Ah!, ¿y qué te parece esto?: un Dios-coleccionista de universos paralelos; vivimos en todos ellos y tú puedes comunicarte con la Irma que vive lo mismo cn la otra serie; más, tú ya no existes aquí. Alguna vez fuiste un instante en este planeta, pero ese instante 35
dura eternamente en otra parte, y ahora me visitas como la luz de

---

[186] **Lendel ... noria**   The circle of hoof prints made by mules around a draw well.
[187] **Mis ... tumbos**   My words tumbled down the abyss.
[188] **Roca-de-Sísifo**   Stone of Sisyphus. *Sisyphus was condemned to roll up a hill a huge stone which always rolled down again.*

una estrella que desapareció hace millones de años. O un Dios-Pené-
lope,[189] que teje y desteje, teje y desteje su trama, y tú y yo somos
hebras que siempre nos entrelazamos en el mismo punto. En fin —y
después de haber quemados las cargas de pólvora de mi dialéctica me
puse serio otra vez—, si se trata de jugar los juegos de la metafísica,   5
juguemos. Pero, ¡por favor!, no te prendas a esa idea fija de que el
universo regresa, una y otra vez, a la misma posición; y que nos
vamos a ahogar porque ya nos ahogamos . . . ¿No se te ha ocurrido
este otro juego metafísico?: ¿que Dios no existe?

Irma había volado a retrotiempo[190] con las alas cada vez más   10
inactivas, replegadas y pequeñas, mariposa que regresa a crisálida, a
larva, y se entullece en su capullo.

XIV

Soy como uno de esos castillos de pirotecnia que se arman en
las plazas para agregar luces artificiales a la noche. Guardo en mi
interior una armazón de cañas, ruedas inmóviles, largas mechas . . .   15
Cuando me acercan un candente tema de discusión todo eso brilla,
suena, se mueve. Vuelan cohetes verdes, giran mis ruedas hasta que
se desprenden como coronas de fuego y chisporrotean y silban las
bengalas. Pero la faz de Irma, más apática que nunca, no reflejaba el
resplandor de mi hoguera; y comprendí que ella no había visto la   20
fiesta, que sólo veía los postes chamuscados, con una que otra chispa
en los carbones consumidos.[191] Me callé. Y me dio lástima no disparar
las girándulas que me quedaban. Por ejemplo, un Dios-manola, de
peineta, mantilla y abanico: se abanica desplegando y replegando las
varillas de su abanico. Abierto, el abanico muestra un paisaje pintado   25
en que aparecemos Irma y yo, pero ese paisaje ya estaba prefigurado
en el abanico cerrado. Y el Dios-manola abre y cierra su abanico . . .

Yo había comenzado a discutir como mero alarde intelectual. Irma
parecía sacar sus metales preciosos de una cuenca interior; y no quise
ser menos.[192] Pero mientras yo trataba de reducir al absurdo las pala-   30

[189] **Penélope**   Odysseus' wife, who unraveled by night what she weaved by day.
[190] **Irma . . . retrotiempo**   Irma had flown back in time.
[191] **con . . . consumidos**   with one or two sparks in the burned out coals.
[192] **y no . . . menos**   and I did not want to do less.

bras de Irma su rostro triste, pálido, hablaba a mi imaginación un
lenguaje que ya no era tan fácil de refutar. Cuanto más se lo con-
templaba, más posible se me antojaba que estuviera en otros lados al
mismo tiempo en que yo lo miraba.[193] Ese rostro desplegaba en torno
una tramoya que me invitaba a adaptarme a lo maravilloso. Y a pesar ⁵
mío, en el mismo momento en que discutía sentí por Irma un respeto
que no podía tener por sus palabras, un respeto supersticioso, como
si ella fuera la versión de un "doble" que me estaba esperando en
otra parte. Ese pasmo mío ante una Irma fantasma, pasmo que se
me iba a la cabeza como vapor de vino, no disminuía mi amor. Al ¹⁰
contrario. Pero obraba como un antiafrodisíaco. Así el licor excesivo
que el novio ha bebido durante la fiesta de bodas hace que, al encerrarse en la cámara nupcial, acaricie a su mujer, enamorado pero sin
deseo de posesión física. Y, sin embargo, hay que ser hombre. Es un
deber. Sin ganas de galanterías me decidí, pues, a dominar la situa- ¹⁵
ción. Irma había contestado a mi discurso señalando con un ademán
envolvente la habitación:
—Ya hemos estado aquí otras veces. Ya hemos vivido todo esto
antes. Ya hemos muerto la muerte que nos espera . . .
Entonces me puse de pie, la sondeé bien adentro de los ojos y le dije ²⁰
con voz firme, con voz de varón que va al grano:
—Irma, puedo asegurarte que esto es nuevo. El encanto de esta
amistad está en lo nuevo . . . Lo que voy a hacer, lo que vamos a
hacer, ahora mismo, tú, yo, solitos los dos, aquí en este dormitorio a
media luz, no lo hicimos nunca, no se dio nunca,[194] ni siquiera como ²⁵
posibilidad . . .
Se lo dije así, con voz de varón que va al grano, porque así lo
sentía. Y, en efecto, esa tension voluptuosa de una punta de mi vida
—tan deseosa de halago que, pujante, soberana, creció penetrando
una tras otra todas las entretelas de mi cuerpo y salió adelante, lleván- ³⁰
dome consigo hacia Irma, para penetrarla también a ella, y seguir,
seguir penetrando el mundo entero—[195] esa tensión voluptuosa de una

[193] **Cuanto . . . miraba** The more I observed her face the more I fancied that possi-
bly she was elsewhere at the same time that I was looking at it.
[194] **no se dio nunca** it never happened before.
[195] **esa tensión . . . entero** that voluptuous tension of a point of my life—so
desirous of gratification, that it grew, vigorously, overwhelmingly, penetrating
one fold after another the fabric of my body, and moved forward impelling me
towards Irma, to penetrate her and continue on and on, penetrating the entire
world.

punta de mi vida era única, primigenia, en un paraíso recién creado.
Me acerqué, extendí la mano hacia su nuca y le levanté la cabellera, que me pesó como una lluvia.[196] Irma sonrió, sumisa.

—¿De veras ves lo que va a suceder? —le pregunté, ahondando
aún más mi mirada en sus ojos, acariciándole la nuca y pronunciando   5
cada palabra con lentitud para que ella reparara en la segunda intención que llevaban. Irma no parecía alarmarse. Le tomé la mano y se
la besé. Quise probar hasta dónde me permitiría avanzar: le rocé con
los labios la mejilla. Ella se dejaba.[197] Le pasé la mano por un seno
(la mano hizo resbalar su blusa sobre un corpiño más sedoso que la   10
carne misma).[198] Ella se dejaba. Y me di cuenta que Irma, como en
mis sueños, me dejaría hacer todo. Besarla, desnudarla, poseerla. Me
detuve, desconcertado, y retrocedí. ¿No me estaría aprovechando de
una muchacha inocente, confiada en mi amistad y acaso algo excéntrica? Irma me miró con la expresión tranquila de siempre. Entonces,   15
desarmado, la abracé como si ambos fuéramos unos niños y le dije:

—Irma, Irma, te quiero . . .

—Ya sé.

—Quiero que entiendas bien que soy tu amigo. Amigo de verdad,
¿entiendes? Puedes confiar en mí. Me cortaría una mano antes de   20
hacerte daño. ¿Verdad que tú confías en mí? Todos los días estaré
aquí, esperándote. Seremos como hermanos, si tú quieres. ¿Vendrás
a visitarme a menudo? ¿Volverás, Irma?

—¿Si volveré adónde . . . ?

—Si volverás aquí, a verme . . .   25

—¡Pero, Miguel! Si yo vivo acá . . .

XV

Bajé los ojos para disimular mi confusión. Ella me alcanzó un
mate. ¿Qué hacer? Yo no podía portarme como un donjuán de
barrio. ¡Había sido todo tan fácil! Yo quería a Irma, sí, pero había
en ella algo enigmático que me preocupaba. ¿Debería decirle, leal-   30

---

[196] **me . . . lluvia**   felt to me light as misty rain.
[197] **Ella se dejaba**   She offered no resistance.
[198] **la mano . . . misma**   my hand caused her blouse to slide over a slip which was
silkier than flesh itself.

mente: "Oye, Irma, ¿estás en tus cabales?[199] ¿Estás segura que quieres quedarte a vivir conmigo? ¿Sabes lo que eso significa? ¿Sabes las consecuencias que todo esto puede tener?". (Mi madre con un nietito, ¡qué bueno!) ¿O simplemente debía aceptar ese regalo, llovido del cielo? Loca, no; pero era rara, sí, era rara. Sus modales furtivos me [5] atraían hasta un umbral infranqueable donde yo veía la luz del universo remoto que Irma llevaba en sí. ¿Qué esperaría de mí? Allí estaba cebando mate, tranquilamente, como si fuésemos un viejo matrimonio. ¿Decirle: "No, Irma: esto no puede ser"? ¡Que tontería! ¡Que hombre rechazaría a una mujer como Irma! Temí que mis [10] escrúpulos fueran en el fondo falta de hombría y me resolví. Que se quedara. Había un solo punto que considerar: el consentimiento de Acevedo.

—Oye, ¿te vio alguien cuando subiste?

—No había ni un alma. ¿Por qué? [15]

—Por nada. En seguida vuelvo. Tengo que hablar con el dueño.

El dormitorio de Acevedo estaba ahora cerrado; pero había luz y se oía por la radio un tango. Llamé.

—¿Quién es?

—Yo, Sullivan. [20]

—Ah. Adelante.

Entré. Estaba leyendo una revista, ya acostado.

—Señor Acevedo: no sé cómo decirle... Supongamos que yo tenga una novia.

—¿Una novia? ¿Usted? [25]

—Sí, yo. ¿Por qué no? Una amiga. Supongamos que ellla quiera visitarme...

—¡Supongamos, supongamos! Déjese de vueltas,[200] amigo. ¡Qué tanto suponer! Vamos. Desembuche.[201]

—Bueno: la cosa es que tengo una novia, y que quiere visi- [30] tarme...

—Pues me alegro mucho. Ya era hora.

—¿Cómo?

—Que ya era hora. A su edad hay que tener por lo menos una mujer. No todo ha de ser libro, amigo. Hay que vivir, también. [35]

—¿Y si ella quisiera quedarse a vivir conmigo?

[199] **¿estás en tus cabales?** are you in your right mind?
[200] **Déjese de vueltas** Stop beating around the bush.
[201] **Qué... Desembuche** What's with all this supposing! Come on. Spill it.

Christian College Library
Columbia, Missouri

—Tráigala, tráigala. Por mí[202] . . .

—Gracias.

—Pero, ¿está seguro de que existe?

—¡Claro que estoy seguro! Las cosas que se le ocurren . . .

—Y . . . se ven tantas cosas. ¿No será que la sueña?   5

—¿Soñar a quién? No le entiendo.

—Digo; ¿no será que a esa novia de que habla la ve en sueños?

Porque ustedes, los intelectuales . . .

—No diga tonterías.

—No se enoje, amigo.   10

Siempre me ha desagradado el modo de hablar de los argentinos
de Buenos Aires: en ese momento me pareció intolerable. La voz
le goteaba de los labios flojos, toda musgosa, blanda, espesa. Cada
frase se deslizaba rápidamente, sin inflexiones, como por un canal
de desagüe; al llegar al borde se dilataba en un acento y desde allí   15
caía pesadamente al sumidero. Hice un esfuerzo y le dije cortésmente:

—Si no me enojo, pero, ¡por favor, Acevedo!, déjese de tratarme
como a un chico . . .

—Bueno —y ahora me miró con ojillos astutos—, si de veras
existe, usted no tendrá inconveniente en pagar más,[203] ¿no es cierto?   20
Si se queda a dormir, precio de matrimonio.

—Lo que usted diga.

—¿Le parece bien . . . cuarenta pesos?

—Muy bien.

—Y cuando encuentre esa amiga no se olvide de presentármela.   25

—¡Cómo, "cuando la encuentre"! ¿No le digo que me quiere
visitar?

—Bueno, bueno . . . Decía, no más[204] . . . Tengo muchas ganas de
conocerla.

Me fastidió su tono de duda. ¿Qué se creería, que yo no era capaz   30
de tener una amante?

Subí hasta la azotea, a grandes zancadas.

Al entrar a mi habitación Irma había desaparecido.

[202] **Por mí**   As far as I'm concerned.
[203] **si . . . más**   if she really exists you won't mind paying more.
[204] **Decía, no más**   I was just talking, that's all.

XVI

Jueves, viernes ... Fui a la Facultad, día tras día, sin encontrar a
Irma. ¡Qué diferente era ir así! Ir y no encontrar a Irma, la Irma de
ojos pedigüeños, la Irma arrastrada por la cola de un cometa, la Irma
que con la punta del pie o con un dedo de la mano insinuaba que
acababa de aterrizar o que se disponía a volar. Irma lunática de ⁵
muchas lunas, sobre todo la Irma ¡oh, Irma! de mis sueños, acostada
en mi cama como una rosa, ir y no encontrar a Irma, Irma, Irma,
me cambiaba y cambiaba el mundo. Estados de la materia: gas,
líquido, sólido. A la tarde siguiente de haberla visto yo había atravesado el espacio como si el espacio fuera blando: todo, edificio, ¹⁰
hombres, todo parecía apartarse a mi paso de iluminado.²⁰⁵ Ahora,
con sólo presentir que no la vería, arrastraba los pies, tropezaba con
las gentes, se me desgastaba la vida en las asperezas de las calles y
hasta me dolía en el cuerpo el apretón de la ciudad. Cuando niño
yo solía regresar de la escuela con una tiza en la mano, uniendo en ¹⁵
una sola línea blanca las distintas fachadas. Había fachadas de
azulejo o de mármol pulido, sobre las que resbalaba mi tiza íntegra²⁰⁶;
pero al llegar a las fachadas de cemento toda la tiza se me quedaba
allí, hecha polvo entre los poros. Ese jueves, ese viernes, me hice
polvo, como una tiza. Días de congoja; y aun de locura, pues por ²⁰
momentos dudaba de mi propia razón²⁰⁷ y me decía: "¿Y si Irma
es un fantasma?".
El sábado ya no pude más y me decidí a averiguar la dirección
de Irma. Un solo nubarrón se nos desplomaba encima. Sobre su
pizarra ¡qué ganas de escribir, con el color de un relámpago, la ²⁵
palabra "luz"! Cayeron unas pocas gotas, pesadas. Apresuré el paso.
Corrí. La tormenta estalló justo cuando llegué a la Facultad. Hablé
con un empleado de la Secretaría, tan chiquito, arrugado y amarillo
que parecía estar encogiéndose:
—Hágame el favor. Necesito con urgencia ... ³⁰

---

²⁰⁵ **todo ... iluminado**   everything seemed to part before me as though I were
walking in a dream.
²⁰⁶ **sobre ... íntegra**   over which my chalk would slide without crumbling.
²⁰⁷ **pues ... razón**   for at moments I doubted my own mind.

Se llevó una mano a la oreja: sin duda al encogerse estaba perdiendo el oído.

—No le oigo.

—Digo que necesito con urgencia un libro que presté a una compañera de curso.

—¿Ah, sí?

—Hace días que no viene y no sé dónde vive. Se llama Irma Keegan. ¿Podría darme por favor su dirección?

—¿Cómo dijo que se llama? ¿Irma qué?

—Keegan. K-e-e-g-a-n.

Buscó en los papeles. No había ninguna Irma Keegan.

—¡Qué raro! —exclamé—. Es compañera de primer años. Estoy seguro.

—¿Cómo?

—Digo que estoy seguro que está en primer año.

—Será oyente.

—Puede ser.

Y por una asociación de ideas que nunca pude explicar agregué:

—¿Y Gabriel O'Brien? Él podría prestarme el libro.

—¿Gabriel O'Brien? ¡Pero, cómo! ¿No sabe?

—¿Qué?

—Que se suicidó.

—¡Qué barbaridad![208] ¿Cuándo?

—Hace unos días. Lo encontraron en la playa de la Costanera, ahogado. ¡Pobre muchacho! ¡Y con los bolsillos llenos de versos!

En un vértigo sentí que ese cadáver era el mío.

Me lancé a la lluvia, que me azotó, me empapó, me caló hasta los huesos. De buena gana me hubiera sacado el cerebro,[209] allí, en la Plaza de Mayo, para lavarlo con toda esa agua que caía a baldes y volvérmelo a poner. Volví a casa deshecho y con escalofríos.

XVII

Me esperaban dos cartas. Una de mi madre, con la fotografía de *La visione di Sant' Elena* que yo le había pedido. La pinché con una chinche en la madera del ropero. La otra, de *La Antorcha*. Don

---

[208] **¡Que barbaridad!**   How awful!
[209] **De . . . cerebro**   Gladly I would have pulled out my brain.

Mario quería saber qué diablos me pasaba. Lo llamé por teléfono. Que lo sentía mucho, le dije, pero que iba a tener que renunciar ¿Por qué?, ¿estaba enfermo? No. ¿Era por el sueldo? No. ¿Por qué, pues? ¿Era que ...? ¡Oh, no! Eso me ofendía: no, no había perdido mis convicciones. Eso, nunca. Yo era el mismo, el mismo ⁵ de siempre. Con mi adhesión podían contar toda la vida.²¹⁰

—Sí —me contestó—, pero en estos momentos necesitamos algo más que adhesiones verbales.²¹¹ ¿No sabe lo que se nos viene? ¡Un cuartelazo, compañero! Los militares van a entrar en escena con su gran ruido de bestias.²¹² ¡Pobre país! Cuando no mandan los in- ¹⁰ competentes del montón mandan los incompetentes de la oligarquía. Nosotros podríamos resolver la cosa: minorías inteligentes al servicio de la justicia social. ¡Pero quién piensa en nosotros! Y, por si acaso, para que las gentes no piensen en nosotros, ahí salen los incompetentes de charreteras. Especialistas en meter el sable en las ¹⁵ ruedas.²¹³

Don Mario estaba exaltado. Habló de Rosas, de Mussolini. Citó una profecía de Marx. Que un general Justo, que un general Uriburu habían dicho no sé qué ... Me reprochó que desertara en el peor momento. ²⁰

—Si no luchamos a brazo partido vamos a perder lo único que tenemos, que es la esperanza de influir en el futuro de la Argentina.

—¡Pero si yo no sirvo para nada! —me sinceré—. Lo mejor es que deje el lugar a otro con más fuerza.

—¡Déjese de macanas!²¹⁴ Venga mañana. Vamos a conversarlo ²⁵ más despacio.

—Es inútil, don Mario ...

—¿Y desde cuándo le ha picado esa mosca?²¹⁵ Porque yo creía que a usted le gustaba estar con nosotros y ...

Por cortesía seguí escuchando esa voz que me llegaba desfigurada ³⁰ por los cables eléctricos, voz sin cuerpo, voz de una muchedumbre que me quería activo. Mientras con el teléfono calentándose en mi oreja oía en silencio, y deseando que acabara pronto, el largo discurso sobre mis "deberes de intelectual", descubrí que, a pesar de estar

---

²¹⁰ **Con ... vida** They could count on my supporting the cause all my life.
²¹¹ **algo ... verbales** something more than lip service.
²¹² **con ... bestias** growling like animals.
²¹³ **Especialistas ... ruedas** Specialists in sticking sabres in spokes, (*that is,* fouling up matters).
²¹⁴ **¡Déjese de macanas!** Stop this tomfoolery.
²¹⁵ **¿Y ... mosca?** And when were you bitten by this bug?

comprometido en las luchas sociales de mi tiempo, yo siempre había
desdeñado la acción. Me disgustaba la realidad que me rodeaba y
prefería escaparme a una utopía donde la igualdad económica y la
desigualdad espiritual fuesen condiciones de una vida bella. Pero
—ahora caí en la cuenta, al escuchar las consignas políticas de esa   5
voz— yo no me había movido nunca. Había arrojado una parte
de mí mismo al mundo, como se arroja un bumerang; y con los
hechos que observaba en ese vuelo redondo de bumerang había
escrito mis editoriales. Eso era todo. Y hasta mi convivencia con ese
grupo de ciudadanos honrados, libres, justos, abnegados, ¿no era   10
utópica?
   —¿Y? ¿En qué quedamos? —me preguntaron del otro lado.[216]
   —Déjeme pensarlo. Ya hablaremos.
   No había para qué.[217] Mi decisión estaba tomada: tal como Irma
me lo había pronosticado, abandoné el diario. Sí, yo debía escribir   15
algo personal, algo imaginativo. Poesía, no. A menos que se pudiera
escribir poesía en prosa. Pero, aunque no en verso, algo personal,
algo imaginativo. Secretamente, sin atrevérmelo a confesar, confié
en que el ejercicio de la literatura me traería a Irma. Pero ¿de qué
vivir?[218] Tenía que ganar lo que me costaba la habitación. Claro que   20
siempre me quedaba el recurso de pedir dinero a mi madre. Era lo
último que haría, sin embargo. En un rincón del ropero tenía algunos
pesos, para un caso de apuro. Me los comería, ¿qué otro remedio?
¿Y por qué no escribir cuentos? Con que me publicaran tres cada
mes ya tendría el dinero necesario para no salir de la habitación.   25
Pues ahí estaba el detalle: yo no quería dejar la habitación. ¡No fuera
que llegara Irma, de un momento a otro![219]

XVIII

Me tumbé sobre la cama. "El perfecto hombre de letras —yo
solía decirle a Genovesi— duerme mucho y escribe en la cama.
Las letras mismas están siempre acostadas sobre el papel: cuando   30

[216] **Y ... lado**   "Well? What's your final decision?" came the question from the
  other end of the line.
[217] **No había para qué**   There was no need (for all this talk).
[218] **Pero ¿de qué vivir?**   But, how would I earn a living?
[219] **Pues ... otro**   There was that one fact: I didn't want to leave the room.
  Irma might show up at any moment.

se paran, en anuncios y carteles callejeros,[220] pierden su virtud poética." Busqué mi tema. ¿Sobre qué escribiría? Pasé revista a los cuentos que más me habían gustado ... No se me ocurría nada. La manecilla del reloj fue dibujando otro cero. Desazón. Comprendí el porqué de mi esterilidad: yo buscaba los temas fuera de mí. 5 Hábito de periodista. Y a la literatura debía hacerla con mi memoria, con la memoria de mi propia vida. No estaba mal pensar en cuentistas famosos. Siempre ayuda el tener presente pruebas de que la literatura es posible, de que hay quienes sobresalieron en ella. Pero nada más. Lo que yo escribiera debía salir de mí mismo. Hice un 10 esfuerzo hacia dentro, no tanto para sentirme, sino para contemplar lo que sentía. Cerré los ojos. Quieto, bien quieto. Me acurruqué y por una rendija espié mi propia desnudez. Espié con cierta malignidad, para descubrirme secretos y luego lucrar con ellos. Y lo que había estado hasta entonces escondido se hizo espectáculo. Pero, ¿de 15 qué me servía el conocerme?[221] Sí, esto soy yo: ¿y qué?[222] Soy un cuerpo cavado por un mar en constante asalto y del que sólo me queda el recuerdo de sus oleadas. Allí, en esas cuevas, vive la memoria, dragón de infinitas escamas de luz. Cuando ese dragón-memoria está echado, su superficie es lisa y puedo mirarme en ella. 20 Un pequeño movimiento, y se le abren abismos en cuyo fondo me veo olvidado. Se levanta, y el dragón-memoria es un torbellino que me atropella, rugiéndome mil secretos desconocidos. "Ah —me dije—; el conocerme no servirá de nada a menos que lo cuente a otros hombres y les ayude a conocerse también; un *yo* sin *tú*, ¿para 25 qué sirve?; debo elegir; debo elegir algo que sea digno de describir a los demás; y a este punto valioso de mi ser —valioso porque yo lo declaro así—, por singular, ilógico e inefable que parezca,[223] debo cristalizarlo junto con la realidad que todos vivimos, junto con la inteligencia que todos tenemos, junto con la lengua que todos ha- 30 blamos." El ánimo se me empezó a hinchar como una burbuja lírica. Una rápida caricia me recorrió el cuerpo, una caricia de palabras presentidas. ¡Qué gozo! Eso no era todavía poesía, pero ya estaba más hondo, más próximo al hallazgo.[224] Sentimientos me acercaban

---

[220] **cuando ... callejeros**   when they stand up in advertisements and billboards.
[221] **¿de ... conocerme?**   what good was it to know myself?
[222] **¿y qué?**   So what?
[223] **por ... parezca**   no matter how unique, illogical and ineffable it may seem.
[224] **pero ... hallazgo**   but now it was deeper, closer to the thing sought.

a Irma, pero unos sentimientos en disponibilidad, abstractos, universales, a los que yo podía usar[225] —como quien usa la música para embriagarse de sí mismo— en la creación de un cuento. Por ese cauce empezaron a correr recuerdos míos, muy míos, que antes no tenían relación entre sí pero que de repente mezclaron sus ondas y, artística-   5
mente, me mostraron una riada de mi vida. El rostro de Irma, fantasma huidizo; las calles que se abrían y cerraban a mi paso, cuando fui a la Facultad a encontrar a Irma; el rasguño que oí en el túnel del Once aquella tarde del miércoles en que no encontré a Irma... Irma, Irma, presente, ausente, siempre Irma... Como si   10
hubiera descendido un rayo de gracia descubrí una imprevista figura que dio sentido a mi sentimiento y a la realidad de Buenos Aires en que Irma y yo vivíamos. Fue instantáneo. Vi mi cuento, fofo todavía, pero con todos sus cartílagos en crecimiento.[226] El cuento nacía de mi propia vida, de mi soledad necesitada de mujeres,[227]   15
de mis caminatas por la ciudad en busca de Irma; pero no era autobiográfico. Las impresiones que en el momento de vivirlas habían aparecido humildemente por los poros de mi conciencia, como un sudor de los sentidos, ahora se despegaban de la memoria, escapaban a las rectificaciones de mi inteligencia,[228] se evaporaban y subían a   20
una mágica esfera. Ya no eran efectos de causas. Eran libres, autónomas; y ellas eran las que ahora obligaban a mi inteligencia a servirlas en la construcción de un cuento fantástico. Un hombre ve en una madrugada, caminando por las calles de Buenos Aires, a una mujer extravagante. La sigue, enamorado de su palidez de luna. Adivina   25
que es un fantasma. Entonces la coge del brazo y le dice: "Sé quién eres. No te soltaré hasta que prometas amarme". Ella huye, y él siempre prendido de su brazo. Ella se mete por las paredes, que se abren como si fueran de aire; y él detrás. Los ladrillos, al dejarlo pasar, lo despeinan un poco, nada más. Penetran por manzanas   30
enteras, a la carrera. Hasta que al llegar a un muro —justamente en el muro del túnel oscuro, en la Plaza Once— ella, con un movimiento brusco, consigue soltarse y desaparece como un pez en una ciudad líquida. Él, en cambio, desconectado, pierde instantáneamente la

[225] **Sentimientos ... usar**   Certain feelings drew me to Irma, but abstract and universal feelings, available for me to use.
[226] **pero ... crecimiento**   but with all its bony structure beginning to grow.
[227] **de ... mujeres**   from my solitude in need of women.
[228] **escapaban ... inteligencia**   they escaped the efforts of my intelligence to set them right.

fluidez de su cuerpo y queda apresado en la mampostería, casi por
salir.[229] No ve, no oye. Sólo consigue asomar la punta de la nariz
—por donde alcanza a olfatear, una sola vez, la humedad y los
orines del túnel—[230] y las puntas de tres dedos, cuyas uñas —que
seguirán creciendo después que haya muerto— rasguñan la pared.   5

XIX

Escribí el cuento de un tirón. ¡Cómo nunca se me había ocurrido
escribir cuentos! ¡Qué placer! ¡Y qué fácil era! Todo consistía en
levantar del alma una espumita —eso sí, una espumita muy densa,
muy sincera— y soplarla hasta que flotara como una diminuta, leve,
elástica, transparente, vacía e irisada pompa de jabón. La amistad de   10
Irma me había llenado de esa espuma. No tenía más que humedecer
allí mi pluma para que con el aire de las palabras más suaves se
formaran cuentos.
Dormí dándome vueltas en la cama, pero feliz. Aun las veces en
que un trocito de lógica que había quedado activo como levadura   15
hinchaba la masa de mi sueño y acababa por despertarme, me sentí
feliz. ¡Qué cambio! Antes de esta vocación de cuentista, temeroso
del insomnio, yo expelía de mi sueño a la conciencia, y procuraba
no hacer caso de las zonas recónditas que de pronto se iluminaban.
Ahora, contento de ese mal dormir, me desvelé para recoger, de mi   20
pantano atravesado por un rayo de sol, imágenes que me servían
para el cuento; y dos o tres veces encendí la lámpara para anotarlas.
El verde-fango se hacía esmeralda lírica.
Tenía los ojos tan irritados que hasta sentí el ruido de los párpados
al cerrarlos. El insomnio me halagaba porque me hacía creer que   25
yo era uno de los escritores neurasténicos que entonces admiraba.
Complacido, fui a mirarme al espejo: cara de arena desolada, con
festón de algas y espumas violáceas bajo los ojos. Cara de ahogado.
¡La cara de Gabriel!

[229] **queda ... salir**   is caught imprisoned in the masonry, just on the verge of
coming out.
[230] **por ... túnel**   with which he manages to smell, just once, the dankness and
odors of the tunnel.

XX

A la mañana siguiente releí el cuento. No me gustó. Yo no había escrito un cuento, sino sólo el borrador de un cuento. Le sobraban palabras.[231] Más: la lengua de la conversación, del periodismo, de la literatura, se me había colado como una racha helada. La de la literatura, especialmente. Una literatura preciosista, artificiosa, la ⁵ que yo leía. Taché, taché. ¡Afuera con todo lo postizo! Y depuré también la intervención de mi propio raciocinio, que en vez de servir a mis impresiones quería rebajarlas con explicaciones. ¿Para qué explicar? La fantasía debía saltar ¡zas! como de una arteria cortada. ¡Afuera con la lógica! Imágenes, sólo imágenes... Pasé ¹⁰ en limpio.[232] Y tampoco me gustó. Al enterrar la simiente demasiado hondo, ¿no la habría esterilizado? Cada oración había quedado como un pelo nervioso con un ojo en la punta[233]: toda la oración vibraba con la visión que le estaba entrando por ese ojo. ¿Comprendería el lector? ¿Bastarían esas palabras para evocar en el ¹⁵ lector mi experiencia original? ¡El lector! ¿Quién es el lector? Hay que elegir un lector. Elegí a Irma. Traté de imaginármela, leyéndome. Me leí desde sus pupilas. Ya el cuento me pareció mío. Yo estaba detrás de cada palabra; y cada una había sido probada fuera de mí, en una Irma ideal, en un público.[234] Copié el cuento ²⁰ con letra muy cuidada y en buen papel, y me leí, en voz alta, con la entonación del canto. Canta el albañil, canta el carpintero, canta el sastre, ¿por qué no el escritor?

Pasaron algunos días y yo contenía otros caprichos de mi imaginación de miedo a que,[235] por escribir más cuentos, descuidara este ²⁵ recién nacido. A lo más, anotaba en hojas sueltas temas para desarrollar. Que eran todos fantásticos, todos con el acento de extrañeza que Irma, la estrambótica, la cataléptica, me había comunicado.[236] Muchos de los cuentos que he escrito después, casi todos, se me

---

²³¹ **Le sobraban palabras**   It had too many words.
²³² **Pasé en limpio**   I made a fresh copy.
²³³ **Cada . . . punta**   Each sentence had become a nerve fibre with an eye on the end.
²³⁴ **en un público**   on a [reading] public.
²³⁵ **de miedo a que**   for fear that.
²³⁶ **Que . . . comunicado**   They were all fantastic, all with the characteristic strangeness that Irma, the eccentric, the cataleptic, had conveyed to me.

ocurrieron en esos días en que conocí a Irma. Irma me los inspiraba; Irma, hija de la Memoria, nieta del Tiempo, como las Musas. Sólo que ella nunca aparecía como personaje porque, precisamente, lo que de ella me inspiraba[237] era su ausencia, su irrealidad.

XXI

Entre tanto, para limitar el número de salidas,[238] yo había com- 5 prado cantidad de paquetes y latas con alimentos. Si no tenía más remedio que salir, dejaba una esquela, bien visible en la luna del espejo: "Espérame, Irma. Por lo que más quieras, espérame. Volveré a las 8. Miguel".

Una noche, al volver de esas corridas, encontré a Irma, en medio 10 de la habitación, esperándome, en la misma posición en que días atrás la había dejado. La cogí en mis brazos y la hice dar vueltas como en una calesita. Era una pluma. Ligerísima.

—¡Déjame, déjame, que me mareas![239]

—¡Lo mucho que debe quererte la tierra, Irma!: ¡le pesas tan 15 poco![240]

Y caímos en la cama, mirándonos y riéndonos.

—¿Te gusto porque puedes jugar conmigo en tus brazos?, ¿como con una muñeca?

—Me gustas por todo. 20

—Pero resulto fácil de levantar,[241] ¿no? Es bueno para tu vanidad: ¡te sentirás un fortachón!, ¿no? Es que no como mucho. ¿Ves? Estoy flaca.

—Tienes las carnes donde hay que tenerlas. Pero, ¿cómo haces?, ¿caminas en puntas de pie? Porque apenas pisas el suelo. 25

—No quiero pisar fuerte sobre todos los muertos que forman la corteza de la tierra.

—Ah, claro.

---

[237] **lo . . . inspiraba**   what in her inspired me.
[238] **para . . . salidas**   in order to limit the times I had to leave the house.
[239] **que me mareas**   you're making me dizzy.
[240] **¡Lo . . . poco!**   The earth must adore you, Irma!: you weigh so little on it!
[241] **Pero . . . levantar**   But you find me very easy to lift.

Y me sonreí para afuera, por si acaso ella, al decir eso, se había estado sonriendo para dentro: ¡no fuera que se estuviera burlando de mí![242]

—Te he extrañado mucho, Irma. ¿Por qué te fuiste?

—¿Cuándo? —me preguntó asombrada.   5

—¿Cuándo? ¡Qué pregunta! Cuando te fuiste ...

—¡Si no me he movido de aquí!

Por sus ojos la vida fluía tan sincera, tan fácil, tan espontánea y sin obstáculos, que no pude creer que estuviera engañándome; más bien me convencí de que Irma sufría de eclipses de la conciencia 10 que le borraban la memoria de los intervalos. Bajé, pues, los míos,[243] y me abstuve de discutir. Me era penoso ponerla en trance de que hablara como una posesa.[244] Dijera lo que dijera, todo estaría bien para mí. A lo mejor, ¡vaya uno a saber!,[245] a lo mejor se me había escapado la primera noche que vino porque la hostigué con mis 15 críticas. No quise correr el mismo riesgo. ¿Qué iba a sacar con contrariarla?[246]

Lo malo es que yo estaba preocupado. Si Irma hubiera dado a sus confusiones entre el pasado y el futuro el mismo valor que damos a nuestros sueños, no habría importado. Pero en la vigilia el equi- 20 valente del ensueño es el delirio. Y estos delirios de Irma parecían perder su abundancia, su vivacidad y frescura de visión para cobrar la rigidez de las manías. La noté diferente. Las manos, caídas a los lados; la voz, monótona; los ojos, como dos pececillos inmóviles, pegados al cristal de la piscina. Empezaba a obrar como autómata. 25 Pero yo la amaba así, tal como era. Hasta sentí gratitud por su locura. Gracias a su locura la tenía al alcance de mis brazos.

—¡Ay, qué descanso! —suspiró al cabo de un rato—. Me viene como un sopor ... ¡Qué lindo, bajar por la cuesta de un recuerdo vago, y dormitar en el mismo sitio donde ya viví!   30

Y, de veras, la cabeza de Irma, envuelta en el inflado turbante de su pelo, era como un tulipán recién abierto en mi habitación, pero ya debilitado de tanto repetirse.

La insistencia con que Irma dejaba caer esas alusiones a una existencia previvida iba horadando, gota a gota, mi lógica de piedra. 35

---

[242] **no fuera ... mí**   she might have been making fun of me.
[243] **Bajé, pues, los míos**   Therefore, I lowered my own [eyes].
[244] **Me ... posesa**   It pained me to provoke a trance in which she spoke as one possessed.
[245] **A lo ... saber**   Most likely, who could tell!
[246] **¿Qué ... contrariarla?**   What would I gain by being contrary.

Yo me iba pareciendo a Irma como el hueco horadado se parece a la gota que lo horada.[247] No es que sintiera lo mismo que Irma, pero comprendía cada vez más lo que ella sentía: que éramos dos granitos en un reloj de arena, que nos rozábamos en el camino cada vez que el reloj se invertía... Aunque yo no creía en la verdad de su meta- [5] física —tan vieja como el mundo, por otra parte— no podía menos de admirarme al ver cómo esa metafísica regaba su cuerpo y le hacía brotar una floración de gestos[248] que no eran de esta tierra.

Recordé unos cuadros que había visto en los museos y me propuse conseguir reproducciones, para mostrárselas a Irma. Un marco con- [10] tiene un cuadro; pero el cuadro es la pintura de una ventana que enmarca una escena que a su vez... Y el espacio se abre infinita- mente. O, al revés, el infinito se abre hacia adentro: el cuadro de un interior en cuya pared hay un cuadro donde aparece un cuadro con otro cuadro interior... Irma estaba toda construida así, con marcos [15] de mayor a menor.[249] Tenía un Yo como un impertinente. La Y era la manija; la O era el monóculo. Y con ese Yo Irma miraba otro Yo que estaba mirando otro Yo... Irma se me perdía como esa mucha- cha que aparece en una caja de Puloil[250] con una caja de Puloil en la mano donde reaparece con otra caja de Puloil en la mano... Se me [20] perdía, se me perdía...

—Ah, Irma, si estás tan bien aquí, conmigo, quiere decir que nunca te irás, ¿no es cierto? Vivirás aqui, para siempre... Prométe- melo.

—No es nada que yo pueda prometer. [25]

Se le oscurecieron los ojos, como si un viento se los soplara; después azulearon otra vez y agregó:

—Pero ya es hora de dormir. Me caigo de sueño. Mira para otro lado[251] o vete a la azotea. No, a la azotea no, que hace mucho frío. Siéntate ahí, escribe, lee algo mientras yo me desnudo. [30]

Oí de espaldas los vestidos que crujían al desprenderse.[252]

—Ya —dijo.

Estaba toda arropada con las frazadas, mirando hacia la pared.

Me desvestí y me acosté a su lado.

---

247 **Yo... horada** I was beginning to resemble Irma like the eroded hollow resembles the drop that erodes it.
248 **le ... gestos** made her sprout a flowerbed of gestures.
249 **con ... menor** with smaller frames within larger ones.
250 **Puloil** *Trade name of a scouring powder*
251 **Me ... lado** I'm dropping with sleep. Look away.
252 **Oí ... desprenderse** Behind me I heard the rustling of her clothing as it fell off.

XXII

La habitación se fue modificando esos días con las idas y venidas de Irma. No arreglaba nada. No cambiaba nada. Sus movimientos eran despaciosos, tardíos; llegaban desde atrás, desde más atrás. Y dejaban en todo una huella ideal. Las cosas se apartaban a nuestro paso escindidas por las dos perspectivas, la de ella y la mía. 5
Una mañana llamaron a mi puerta. Me sobresalté. Para que se vea hasta qué punto mi vida con Irma era toda la vida imaginable y más allá de esa puerta el mundo entero estaba muerto, diré que al oír el golpe me estremecí, supersticiosamente: ¡al otro lado no había más que un ataúd, y era desde dentro de ese ataúd que estaba llamando un 10 sepultado! Abrí la puerta. Era el bueno de Genovesi.[253] Sentí que la cara se me ponía roja. ¡Venir a sorprenderme así, con Irma adentro!

—¡Hola! —me dijo. Echó un vistazo al cuarto y fue a entrar. Lo atajé, lo hice retroceder, salimos a la azotea y cerré la puerta detrás de mí. 15

—Perdóname, pero mejor será que hablemos acá.

—¿Por qué?

—Bueno . . . —y con un gesto le pedí que fuera discreto—. Estoy acompañado . . .

—¿Acompañado? ¡Si en tu cuarto no hay nadie! 20

No había visto a Irma. Mejor.

—¿Qué quieres?

—Nada. Don Mario cree que estás enfermo. Vine por si necesitabas algo[254] . . .

Ya ves que no estoy enfermo. 25

—No sé. ¡Tenés una cara! Parecés otro. ¿Te tomastes la temperatura?

—Sí, mamá.

Hablamos de política; le dije que había comenzado a escribir cuentos; me preguntó por las chicas de la Facultad; le insinué que 30 de allí me había salido una musa casera[255] . . . Genovesi se sonreía, se sonreía.

—¿Me quieres decir una cosa? —le dije—. ¿Por qué te ríes? ¿Tengo monos en la cara?

---

[253] **Era . . . Genovesi**   It was good old Genovesi.
[254] **Vine . . . algo**   I came to see if you needed anything.
[255] **le . . . casera**   I hinted that at school I had found myself a household muse.

—No . . .

—¿Entonces? ¿Por qué me miras con ese aire de cachada?[256]
Siempre te estás sonriendo. Todos se sonríen cuando me hablan.
¿Qué tengo?

—No lo tomés así . . . Después de todo, es por simpatía. Es que . . .   5
no sé . . . sos . . . un duende.

Charlamos un rato más y después se despidió. Antes de irse me
dijo:

—¿Todavía hablás solo, che?

Entré en el cuarto y acaricié a Irma.   10

—¿Contento? —me preguntó.

Sí, yo estaba contento; pero la presencia de Irma no me dio el
descanso que yo había imaginado. Hundía demasiado la amistad y
yo tenía que sumergirme, todo tenso y con los pulmones llenos, y
aguantar la presión de sus rarezas. Para moverme por allí con na-   15
turalidad hubiera tenido que convertirme en pez y alimentarme de
algas. Pero yo no era pez. Ni siquiera anfibio. Subía, pues, a la
superficie, a respirar; y ella ya no me acompañaba. Nuestras con-
versaciones fueron decayendo. Cada vez Irma se aletargaba más.
Su sosiego no era el de la felicidad. Algún miedo la acongojaba.   20

—Miguel, Miguel —murmuró una vez.

Pero no es que me llamara ni que pensara en mí: modulaba mi
nombre nada más que para oírlo; y al repetirlo lo desconocía.[257]

En otra ocasión me miró con tanta fijeza que me estremecí como
un impostor a punto de ser descubierto. Miraba también la habita-   25
ción, en la actitud de quien se despide.

El gusto de tener a Irma se me agriaba con la sospecha de que el
día menos pensado[258] se iría. Si la ciudad se la llegaba a tragar sería
para siempre, pues nunca había querido decirme dónde residía:
"cuando estoy contigo no lo recuerdo", me dijo, no sé si sincera-   30
mente.[259] Si en vez de vivir en una habitación tan pequeña hubiéramos
vivido en una casa toda nuestra, creo que la habría encerrado con
llave. O quizá no, por respeto. Pero ganas no me faltaron.[260]

—¿No te estará echando alguien de menos?[261] —le pregunté un
día.   35

[256] **¿Por . . . cachada?**   Why do you look at me so skeptically?
[257] **y . . . desconocía**   and on repeating it, it was unfamiliar to her.
[258] **el día menos pensado**   one day least expected.
[259] **no sé si sinceramente**   I don't know if [she said it] with sincerity.
[260] **Pero . . . faltaron**   But the urge was not missing.
[261] **¿No . . . menos?**   Isn't there someone who is missing you?

—¿Quién?

—No sé. Tu mamá. Tu papá.

—No me hables de ellos.

—¿Te escapaste?

—¿De dónde? ⁵

—De tu casa.

—No. No tengo casa. Ésta es mi casa.

—¿Les dijiste que te ibas?

—¿A quién?

—A tus padres. ¹⁰

—¿Mis padres? No me hables de ellos, por favor.

—Pero te estarán buscando.

—No te preocupes. Yo fui la que los busqué a ellos. Cuando los encontré, no me gustaron. Ahora yo los dejo tranquilos y ellos me dejan tranquila. Tú también déjalos tranquilos. Lo importante es que ¹⁵ tú y yo nos hayamos encontrado; fuera de eso, no me importa nada de nada. ¡Estoy tan bien aquí! Nos hemos encontrado, ¿no es verdad? Nos hemos encontrado: ¿no tienes la certeza, la absoluta certeza de esto?

—A ver si un día de estos cae la policía, y te lleva.²⁶² ²⁰

—Deberías saber que la policía nunca tuvo nada que ver con nosotros. ¿No te acuerdas? ¿Acaso hubo policías la última vez? No dudes, no dudes. No quiero dudar.

—A lo mejor yo no soy el mismo de la última vez . . .

—No me vengas con eso. No digas que no eres quien eres, que ²⁵ eres otro. Sería horrible. Me volvería loca. No me hagas dudar.

—¡Muy bien, muy bien! Perfecto. Soy yo, el mismo, el mismo que conociste en ese pasado de que hablas. Entonces, ya que recuerdas qué hice en la otra vida, ¿no me podrías dictar, por favor, la mejor obra que escribí en aquel pasado pero que todavía no he es- ³⁰ crito en este presente? ¡Para qué me voy a matar escribiendo ahora una obra maestra que después de todo ya la escribí! Díctamela, y listo.²⁶³

—No bromees. La vez pasada moriste antes de escribir tu obra. Y morirás ahora antes de escribirla. Apenas con unos versos en los ³⁵ bolsillos.

²⁶² **A ver . . . lleva**   Let's see if the police don't drop in one of these days, and take you away.
²⁶³ **Díctamela, y listo**   Dictate it to me, and I'll be done with it.

Fue la última discusión que tuvimos. Irma casi no salía del cuarto. Se pasaba las horas sentada en el sillón, con un libro que no siempre leía. A lo más daba unas vueltas por la azotea, se detenía ante el barandal y oteaba el pedazo de papel secante, color de cielo, que por una de sus puntas sorbía la humedad 5 del río.[264] El río, desde lejos, la atraía.

—El río es como una frente que me está pensando —me dijo. A veces se quedaba allí, tan hierática, que yo, que me había acercado pasito callando,[265] no me atrevía a sacarla del éxtasis. Poco a poco, sin que yo llegara a confesármelo nunca, había ido cediendo, 10 supersticiosamente, a la influencia de las revelaciones casi místicas que Irma me hizo; y en esos momentos en que parecía hechizada yo temía que al menor roce de mi mano sobre su hombro se transformara en algo maravilloso: un pájaro, un relámpago... Por más que mi buen sentido me disuadiera, yo no podía menos de sentir[266] el con- 15 tagio de sus transportes: transportes de un universo que se había incendiado en una vasta conflagración a otro que había resurgido idéntico de sus cenizas. Irma seguía mirando las lejanías de Buenos Aires, parada encima de ese día de abril, y ese día de abril, a su vez, parado sobre un pico de la creación. Y yo, a su lado, por extraviada 20 que la idea me pareciera,[267] escudriñaba sus ojos y allí veía cautivo un portentoso cielo azul, despejado, indiferente, saturnino, muy por encima del girar del planeta y de la vida de los hombres; y así Irma, a pesar de sus carnes apretadas, tan apretadas que con un abrazo yo las cubría, se dispersaba por el infinito. Cuando me sobreponía a estos 25 ramalazos de misterio y reasumía el poder de mi lógica,[268] juzgaba que todo era demencia. Me alarmaba de haberla creído por un instante, porque esa credulidad bien podía ser el pródromo de mi propia locura.[269] Y ya me sentía "tocado". El deseo de convertirla en mi prisionera, aunque respondía principalmente al miedo de que su per- 30 sona física bajara las escaleras, se echara a andar por las calles y

---

[264] **oteaba . . . río**   she peered at the piece of sky-colored blotter which was absorbing, at one of its corners, the humidity of the river.

[265] **pasito callando**   on tip toe.

[266] **Por . . . sentir**   No matter how much my good sense might dissuade me, I could not help but feel.

[267] **por . . . pareciera**   as unlikely as the idea might seem.

[268] **Cuando . . . lógica**   When I overcame the whiplashes of mystery and resumed the power of my logic again.

[269] **porque . . . locura**   because that readiness to believe, could well be the premonitory symptom of my own insanity.

se me perdiera, también expresaba, en uno de sus sobretonos, el despropósito de que era posible una fuga mágica, digamos, una fuga en el tiempo. Irma era más que una mujer. Arrastraba una cola fabulosa, extraída a medias de la corriente del tiempo[270]: era una sirena varada que yo me empeñaba en retener. Y que se vengaba 5 enloqueciéndome.

No le daba ningún pretexto para salir. Pedía lo que necesitábamos por el teléfono de abajo. En esos días Acevedo no la vio ni una sola vez; y hasta es probable que creyera que aquel anuncio mío de traer una mujer a la torre fuera una jactancia. Nunca me preguntó por 10 ella. Es posible que tuviese miedo a que yo me enojara otra vez. Tampoco yo saqué el tema[271]: le pagaría los cuarenta pesos, y asunto arreglado. Ocurría que de pronto echaba de menos algo indispensable y no tenía más remedio que cruzarme al almacén de enfrente,[272] a comprarlo. Entonces vigilaba por la vidriera del almacén la puerta de 15 casa, de miedo a que Irma se escapara.

XXIII

Una tarde, mientras yo estaba en el almacén, vi a Irma asomarse al zaguán. Salí corriendo.

—¿A dónde vas?

—A ningún lado. Vine a esperarte. 20

—¿Esperarme? ¿Por qué esperarme? Oh, no, Irma. Tú quieres dejarme.

—¿Dejarte?

—Sí. ¿Por qué, si no, estás vestida?

—¡Por Dios, Miguel! No seas chiquilín. Hace frío. ¿Quieres que 25 ande desnuda? Me he puesto el abrigo encima del batón. ¿Ves?

La cogí del brazo y quise dar una carrerita hacia dentro.[273] Irma no sabía correr. Pisaba torpemente los escalones,[274] tenía miedo de

---

[270] **extraída . . . . tiempo**   half pulled out from the current of time.
[271] **Tampoco . . . tema**   Nor did I bring up the subject.
[272] **Ocurría . . . enfrente**   When it happened that I suddenly needed something indispensable, I had no alternative but to go to the grocery store across the street, and buy it.
[273] **quise . . . dentro**   I wanted to hurry her into the house.
[274] **Pisaba torpemente los escalones**   She mounted the steps awkwardly.

caer y me pidió que le soltara el brazo. Ya lo había observado: Irma apenas caminaba, como si quisiera pegarse al suelo y deslizarse. Sombra de dos dimensiones. Más aún, como si ese renunciamiento a la tercera dimensión fuera su lento adiós al espacio. "Quizá —pensé mientras subíamos— esta incapacidad de Irma para la acción es lo ⁵ que la inunda de tiempo. El que actúa va derribando con esfuerzo, una por una, las pantallas que ocultan el porvenir, y las deja amontonadas a sus espaldas, como escombros de la memoria. No conoce el tiempo por lo mismo que está demasiado ocupado en abrirle caminos.²⁷⁵ Pero Irma es una autómata, inconsciente, delirante, que vive ¹⁰ emancipada de la lógica, emancipada de la sociedad, emancipada de la acción, entretejida solamente a una ilusoria trama de eternidad²⁷⁶; ilusoria porque, al no abrir caminos, cree que ya están abiertos y que por ellos el tiempo circula como la órbita de un planeta."

Al llegar a nuestro cuarto Irma se sentó en el sillón. Cerré la puerta ¹⁵ y me quedé de pie, pegado de espaldas al espejo.²⁷⁷

¿Qué tienes, Irma?

—Nada.

—¿Por qué me miras así?

Miraba hacia donde yo estaba, pero sin verme. Me miraba a los ²⁰ ojos, pero sentí que mis ojos eran dos agujeros, y que se iba por ellos. Entonces se levantó, extendió las manos y caminó como si fuera a perforarme de parte a parte. Sorprendido (¿transfixión? ¿transfixión a mí?) me aparté²⁷⁸; y ella, como si yo no estuviese en la habitación, se acercó al sitio que yo acababa de dejar y tocó con ²⁵ las yemas de los dedos, muy suavemente, la luna del espejo. No parecía contemplarse: parecía contemplar la carne de luz del espejo.²⁷⁹

Como Irma llevaba en las espaldas un espejo de Tiempo temí que, al pararse ante el espejo de la puerta, entre esos dos espejos —un ³⁰ espejo metafísico atrás, un espejo físico delante— su imagen se me perdiera en el infinito. (Y me vino la idea de una variante al cuento

---

²⁷⁵ **No . . . caminos**   He does not know time for the reason that he is too occupied opening paths for it.

²⁷⁶ **entretejida . . . eternidad**   interwoven only in the illusory cloth of eternity.

²⁷⁷ **pegado . . . espejo**   with my back to the mirror.

²⁷⁸ **Sorprendido . . . aparté**   Surprised (transfixion? How dare she transfix me?) I stepped aside.

²⁷⁹ **parecía . . . espejo**   she seemed to contemplate the fleshlike quality of the mirror's light

anterior: ahora la escena transcurría en Madrid. Un hombre persigue a una mujer por las galerías de Museo del Prado; ella, para darle el esquinazo, se mete en la sala donde se expone un único cuadro: *Las Meninas* de Velázquez, cuadro que se refleja en un gran espejo atravesado en un rincón; y cuando el hombre entra, no hay nadie; la ⁵ mujer ha desaparecido en el juego del espejo real y el espejo de arte.) Irma, entre espejos, permaneció, sin embargo.

—¿Pero qué te pasa, Irma? No me contestó. Estaba quieta . . . ¿esperando que yo le abriera la puerta? La abrí, por si acaso. Salió. El Otoño respiraba con su ¹⁰ aliento de moribundo una honda bocanada de luz última.²⁸⁰ ¡Qué tristeza! Una languidez —la misma languidez de Irma— se extendía por el cielo. Por eso, cuando Irma desperezó los brazos, desperezó las piernas y se recortó así,²⁸¹ pálida estrella abierta en el aire pálido de la tarde, vi cómo el paisaje y ella se decían: "Oh, tú también estás ¹⁵ descansando después de haber vivido". Era un Otoño que se recordaba a sí mismo, que se esperaba a sí mismo, consciente de su ritmo.

—Irma —le dije acechando su paso de pájaro migratorio—,²⁸² tengo miedo de perderte. ¡Cómo me gustaría que fueras mi prisionera! La abracé con toda la dulzura del mundo y me la llevé otra vez al ²⁰ cuarto. Se dejaba llevar, dócil, obediente. La acosté, la acaricié.

—Miguel: ¿por qué . . . ?

—No pienses más. Duérmete.

Se durmió.

Me senté a sus pies y la vi dormir. Dormida, era más mujer. Y ²⁵ menos bella. Pesaba en la cama más de lo que, despierta, pesaba en mis brazos. Los labios se entreabrían, no sonrientes, sino pesados. Y como los párpados tampoco cerraban bien, asomaban, como ludiones que querían subir, las luces azuladas de los ojos.²⁸³ "Mientras duerme —pensé— quizá esté multiplicándose en el pasado." Apagué ³⁰ la luz para no molestarla y fui a la azotea. Era ya de noche, y me moví bajo la agobiada bóveda²⁸⁴ como un pensamiento dentro de

---

²⁸⁰ **El . . . última**   With its dying breath Autumn was gasping a deep mouthful of final light.

²⁸¹ **y se recortó así**   and in this way outlined herself.

²⁸² **le . . . migratorio**   I said intercepting her as she moved off like a migratory bird.

²⁸³ **Y como . . . ojos**   And because her eyelids were not tightly closed either, the bluish lights of her eyes came to the surface, like two Cartesian devils that wanted to rise.

²⁸⁴ **la agobiada bóveda**   the oppressive dome of the sky.

la cabeza de un dios; y al pasear por la azotea, con los ojos atentos a la concavidad de la gran frente, también me sentí un dios para otros pensamientos más pequeños que yo pensaba; pensamientos que tal vez tuvieran, a su vez, otros adentro capaces de pensar. Y así ... La luz de las estrellas me bañaban los ojos por fuera con la misma 5 pulsación con que la sangre me bañaba por dentro. "¡Pero que tonterías!", me interrumpí de pronto. "¿Y mi ateísmo? ¿Y mi fe en el caos? A ver si yo también caigo en lo de Irma,[285] que en este Universo ve orden, mecanismo, movimiento regulados ... ". Y antes de volverme al cuarto sonreí a la noche con desprecio. "¿Universo? ¡Uni- 10 verso en ruinas, en todo caso! Polvo de estrellas, sin centro y sin sentido, eso es lo que eres. Las nebulosas resbalan por tus grandes vísceras como cuajos de leche, como placas de pus, como moco derretido. Las estrellas, un sarpullido. Y la luna que está viniendo, un tumor, un tumor de la noche enferma." 15

Entré. Me desvestí. Al sacar de la colcha un brazo desnudo Irma había descubierto los senos, uno apretado contra la sábana.[286]

Me deslicé suavemente a la cama, me acosté en el sueño de Irma y nos fuimos a la deriva.[287]

XXIV

Me despertó un ruido. Un ruido de pasos taconeando por encima 20 de mi alma. Abrí los ojos y fue tan rápida la visión que ahora más que nunca siento la insuficiencia de las palabras. Por las cortinas de la ventana entraba a raudales la luz verde de la luna y, esponjada de espuma,[288] saltaba dentro del espejo, derretía su superficie helada y continuaba como un río mágico. Irma, sombra oscura, pero con las 25 manos verdes tendidas hacia el espejo, caminaba rígida, sonámbula. La cabellera flotaba en las ondas de la luna como la de una ahogada. Gritó:

—¡Gabriel!

"Gabriel" gritó; "Gabriel", no Miguel. 30

---

[285] **A ... Irma**   I bet I too will fall into Irma's faith.
[286] **Al ... sábana**   On removing a nude arm from beneath the quilt Irma had uncovered her breasts, one pressed against the bedsheet.
[287] **nos ... deriva**   we drifted off together.
[288] **esponjada de espuma**   puffed with foam.

Y entró en las aguas del espejo.

Me precipité, y al acercarme vi a Gabriel, el ahogado, que me miraba como en nuestro primer encuentro, en la calle Viamonte; sólo que ahora era él quien, del otro lado del espejo, sonreía. Irma y Gabriel, abrazados del talle,[289] desaparecieron en las luces verdes.   5
El espejo se heló otra vez.
E caddi come corpo morto cade.[290]

[289] **abrazados del talle**   with their arms around each other's waist.
[290] **E . . . cade**   *Italian*, And I fell like a dead body falls (*Last verse of the fifth canto of Dante's* Inferno).

Tercer movimiento:
andante sostenuto[291]

[291] **andante sostenuto**   *Italian, musical tempo:* moderately slow and sustained

XXV

*D*ías después —ya me sentía mejor— fui a *La Antorcha*.
Don Mario estaba escribiendo, tan hundido en sus papeles que al
punto no me vio.

—Hola —le dije.

Levantó la cabeza y sonrió. 5

—Ah —exclamó, contento; y hasta con la mano fue a decirme
algo.

Pero sonrisa, voz, mano, cayeron lentamente. Debí asustarlo: yo,
cadáver de pie.²⁹² Se quitó los lentes. Hubo un silencio. No se atrevió
a preguntarme nada. Me miraba, me miraba mucho. Yo sabía que ¹⁰
mis ojos estaban así, mortecinos, pero no quise dar ninguna explicación. Se paró, dio unos pasos y me puso la mano en el hombro. Estaba
preocupado. Mis ojos eran lo que le preocupaban.

—Siéntese —me dijo.

—No, gracias, don Mario. Estoy bien. De veras: estoy bien. 15

Pero me senté.

Me dio una palmadita en el hombro y volvió a su escritorio.

—¿Alguna desgracia?

—No. Nada. Ya pasó.

—Cuídese, compañero, cuídese. ¿Puedo ayudarle en algo? 20

—No, gracias.

—No tiene más que decírmelo... Bueno, como quiera... Me
alegro de tenerlo otra vez. Ya sabe que la máquina de escribir lo
está esperando.

—Don Mario: he venido a despedirme. Me voy. 25

—¿Se va? ¿Adónde?

—Me vuelvo a Tucumán.

—Ah, ya me parecía.²⁹³ Es que no se siente bien. Tiene mala
cara. Bueno, ¿por qué no se toma unas vacaciones? Descansa, se

²⁹² **yo cadaver de pie**   I was a walking corpse.
²⁹³ **ya me parecía**   I thought so.

repone y luego vuelve. ¿Qué le parece? Lo esperamos. Todo el tiempo que quiera.

—Gracias, Don Mario. Muchas gracias. Pero me voy para siempre.

—¡Pero amigo! ¿Y qué va a hacer en Tucumán? Se va a perder . . . ¿Para quién va a escribir allá? Porque supongo que no dejará de ⁵ escribir ¿eh? Mándenos artículos . . .

—Escribiré, pero no periodismo. Esto se acabó. Ni una línea que tenga algo que ver con las cosas que pasan de veras, todos los días. En adelante, Don Mario, escribiré literatura fantástica.

—¿Utopías, quiere decir?   10

—No. Pura literatura fantástica. Sin intención social. El caos por el gusto del caos. El desatino.

—¿No se lo dije, no se lo dije? Que se escaparía. Literatura fantástica . . . ¿para qué?: para escaparse.

—¿Y qué quiere que haga?   15

—Que escriba algo que viva, algo que sirva.

—Que lo escriban otros. Yo escribiré sobre fantasmas.

—Si hace eso se suicida como escritor. ¿Novelas con fantasmas? No interesan a nadie. La novela, después de todo, habla de lo posible y rechaza lo improbable . . .   20

—Ah, pero yo hablaré de lo imposible como si fuera probable.

—¡Qué ganas de perder el tiempo![294] Escriba algo vigoroso, sobre qué es el hombre, sobre qué es la realidad.

—¡Valiente porquería! Déjeme que me haga la ilusión de que por lo menos podemos ser libres para fantasear. Crear caprichos que ²⁵ contradigan las leyes de la lógica y de la naturaleza le alegra a uno la vida. ¡Libertad, Don Mario, libertad! Anulo el mundo y juego.

—Sí, ya he visto que los jóvenes andan en eso.[295] Partidas de ajedrez con fantasmas. ¡Si usted mismo parece un fantasma! Cuídese, compañero. Está flaco. Tiene ojos de fiebre . . . ¿Conque literatura ³⁰ fantástica, eh? ¡Aviado está el país![296] Como para juguetes andamos[297] . . . ¿Y ya ha empezado a escribir esas cosas?

—Sí. He empezado una novela. *Fuga,* la voy a llamar. Irreal. Absurda. Todo será inexistente. Absolutamente inexistente —recalqué con amargura, acordándome de la escapada de Irma con ³⁵ Gabriel.

---

[294] **¡Qué . . . tiempo!**   What a desire to waste time!
[295] **ya . . . eso**   I have seen that the younger generation goes for that sort of thing.
[296] **¡Aviado está el país!**   The country is on its way!
[297] **Como para juguetes andamos**   This is no time to be playing games.

El brujo de Don Mario debió de haber notado mi amargura, porque dijo:

—Mire, me está pareciendo que todo eso de que su novela es irreal y absurda e inexistente es nada más que una argucia para encubrir un fracaso sentimental.[298]

—Créame. Mi novela *Fuga* será absolutamente inexistente. En el primer capítulo aparece usted, Don Mario, que tampoco existe ...

—¡Cómo, que no existo!

—¿No es cómico, Don Mario? Usted, el realista, no existe; y lo que va a existir es mi novela, anti-realista, que hará creer que lo imposible es probable.

—¡Cuidadito con meterme de fantasma en su novela!

—Es inútil, Don Mario. Los personajes no se pueden rebelar. Usted es mi personaje. Yo soy el real. Yo, yo. Y yo puedo hacer con usted lo que quiera. ¡Ja, ja!

—Usted está loco, mi amigo. ¿Sabe que se me ocurre una cosa? ¿Y si yo soy el que escribe una novela? Una novela sobre usted.

—¿Un personaje inexistente escribiendo una novela sobre el autor real? Interesante, interesante ... Un buen experimento. Lo pensaré. Quizá algún día le deje hacer eso.

—Y esta conversación que estamos teniendo ahora mismo ¿también va a aparecer en su novela?

—También.

—Entonces va a echar a perder su novela. Mucho ruido a lata.[299]

—La culpa será de usted, que me ha obligado a meterme en explicaciones.

—¡Cómo! ¿No habíamos quedado en que[300] yo no era nada más que un personaje inexistente?

Sí. Inexistente. Como Irma. Como Gabriel. Le sonreí tristemente y me levanté para apretarle un cariñoso adiós en la mano.[301] Ya en la puerta agregué:

—Mi novela, Don Mario, comienza así: "Juguemos ... Apenas llegué a Buenos Aires (yo había abandonado la casa de mi madre, en Tucumán, para lanzarme al periodismo) ...

---

[298] **una ... sentimental**   a bit of shrewdness to cover up an unhappy love affair.
[299] **Mucho ... lata**   Too much chatter.
[300] **No ... que**   Hadn't you told me that.
[301] **para ... mano**   to leave him a warm farewell in our handshake.

Vocabulary

Omitted from this vocabulary are words that are ordinarily known to students of second year Spanish and easily recognized cognates. Only the meanings found in the text are given.

The gender of nouns is not listed in the case of masculine nouns ending in -o and feminine nouns ending in -a, -dad, -ez, -ion, -tad, and -tud. A dash means repetition of the key word.

ABBREVIATIONS

coll.	colloquial	*m.*	masculine
f.	feminine	*Ital.*	Italian
	pl.	plural	

A

abajo: de ——— downstairs
abanico fan
abismo abyss
abnegado self-denying, dedicated
abotagado bloated
abrazo embrace
abrigo overcoat
absorto absorbed
abstener (ie) to abstain
abstruso abstruse, difficult to comprehend
aburrido boring
acariciar to caress
acaso perhaps; **por si** ——— just in case
aclarar to clarify
acodado leaning on one's elbow
acongojar to afflict, grieve
actual current, of the present day
actuar to be active, act
acuarela watercolor
acudir to arrive, report, go to
acurrucar to huddle up
ademán envolvente inclusive gesture
adivinar to guess
admirado amazed
admirar to be amazed
adoquinado pavement
adosarse to stand against
advertir (ie) to notice
afeitarse to shave
afiliado party member
afiliar to join up
afligir to grieve
afuera out, outside
agotar to use up
agregar to add
agriarse to become soured
aguantar to withstand
agujas de los relojes the hands of the clocks
agujero hole, opening
ahogado drowned; *m.* drowned man
ahondar to dig deep

ahorrar to save
aisladora isolating
ajedrez *m.* chess
alarde *m.* ostentation
albañil *m.* mason
alcance *m.* reach
alcanzar to hand (over), reach
alcoba nupcial bridal alcove, bedroom
aldeano small town inhabitant, "hick"
aletargarse to fall into lethargy
aletas de la nariz nostrils
alga: festón de ———s festoon of algae
alimento food
alisar to smooth
aljibe *m.* cistern
almacén *m.* store
almohada de seda silken pillow
alquiler: cartel de ——— for rent sign
altillo en la azotea a loft off the sunroof
alzar to raise
amante *m. or f.* lover
amargura bitterness
amarillenta yellowish
amasar to knead, mold
ámbar amber, reddish yellow
amistad friendship
amodorrado: pueblo ——— a drowsy people
amontonado heaped up
ancho: a lo ——— de la vereda along the width of the sidewalk
andante *Ital.* (musical tempo) moderately paced
andar to walk
anfibio amphibian
angosto narrow
anhelo yearning
anillo ring
ánimo spirit, soul
anotar to note down
ante before
antecuna precradle

anterior previous, preceding
antiafrodisíaco antiaphrodisiac
antojarse to take a fancy to
antorcha torch
anular to nullify
añoranza nostalgia
apagar to put out
apartadizo apart from everyone else
apartarse to separate
apático apathetic
apostar (ue) to bet
apoyado leaning
apoyar to lean, rest
apresado imprisoned
aprestarse to make ready
apresurar to hurry, quicken
apretada: carnes ———s compact flesh
apretón *m.* the pressing down
aprovechar to take advantage
apunte *m.* note
apurar to hurry
apuro need
araña spider
arena sand
armar to mount, set up
armazón *f.* framework
arrancar to drag away, pull out
arrastrado pulled
arrastrar to drag
arrellanado sitting at ease
arrepentir (ie) to regret
arrimar to get close to
arropado wrapped up
arruga wrinkle
arrugado wrinkled up
arrugar to wrinkle
arruguita del ceño wrinkled brow
articular to touch
artificioso contrived
asalto assault
asiento seat
asomarse to step out into, come out
asombrarse to be amazed
asombro amazement
aspecto de bohemio Bohemian appearance

asperezas de las calles the harshness of the streets
asunto arreglado the matter would be settled
asustar to frighten
atajar to cut off (one's passage)
ataúd *m.* coffin
ateísmo atheism
atender (ie) to serve
atento attentive
aterrizar to land
atrapado trapped
atrasar to turn back
atravesado en un rincón cater-cornered
atravesar el espacio to cross space
atropellar to trample
aula classroom
autarquía autarchy, national self-sufficiency
autómata robot, automaton
avergonzar (ue) to be ashamed
averiguar to ascertain, find out
avidez desire, avidity
avión *m.* airplane
avisar to warn, inform
aviso announcement
azotar to whip
azotea: altillo en la —— loft off the sunroof
azulear to turn blue
azulejo tile

B

bajo: voz de —— bass voice
balar to bleat
balde: a ——s in buckets
banco bench
banquillo bench
barandal *m.* railing
barandilla de hierro iron grating
barbilla chin
barrer to sweep, brush off
barrio (city) district
bastar to be enough
batón *m.* frock

bello beautiful
bengala Bengal lights, sparklers
bicho insect, animal
billetera wallet
bisbisear to whisper
bisojo cross-eyed
bisutería cheap jewelry
bizco cross-eyed person
bobo simpleton
boca de salida exit
boda: fiesta de ——s wedding feast
bohemio: aspecto de —— Bohemian appearance
bolso purse
bondadoso good-natured
borde *m.* edge
bordear to skirt
bordoneo repetition of words
borrador rough sketch, outline
borrar to sweep over, erase
brazo: a —— partido hand to hand
brillo brightness, luster; ——
travieso mischievous gleam;
—— tristón saddening luster
brinco: dar un —— to jump up
bromear to joke
brotar to sprout
brujo old owl
brulote *m.* broadside
brusco sudden, brusque
bullicio de la estudiantina hustle and bustle of the students
bulto form, body
burbuja bubble
burbujeo gurgling
burlarse to poke fun, joke
busto bust line
buzón *m.* —— de la esquina corner mailbox

C

caballerescamente chivalrously
cabellera hair, coiffure

caber   to fit
cabo: al ——— **de un rato**   after a while
cadera   hip
cajón *m.*   drawer
calar   to seep down
calavera   skull
calco: de ——— **en** ———   from one tracing to another
calcular   to figure out, calculate
calentador *m.*   hot plate
calentarse   to warm up
calesita   little merry-go-round
caliente   hot
callado   in silence
callejón *m.*   alley
cámara   inner room, sanctum sanctorum; ——— **nupcial**   bridal suite
cambalache *m.*   book dealer
caminar   to walk
caminata   walk, strolling
camino   way
campera   country
canal de desagüe   water drain
candente   red-hot, incandescent
canto   chant, song
canturrear   to hum
caña   glass of beer, tube
caos *m.*   chaos
capa   cape
capaz   capable
capricho   caprice, capriccio
capullo   cocoon
caracol *m.* **en** ———   in a spiral
carcajada   laughter
cargado: de hombros ———**s**   stoop-shouldered
cargas de pólvora   powder charge
cargoso   burdensome, obnoxious
caricia   caress
cariñoso   endearing, warm
carnes *pl.*   flesh; ——— **apretadas**   compact flesh
carozo de palta   avocado core
carrera: a la ———   on the run
carreta   cart

carros ornamentales   decorated floats
cartel *m.*   poster, handbill; ——— **de alquiler**   for rent sign
cascarón *m.*   shell
casona: vieja ———   old building (refers to the University)
castigado   punished
castillos de pirotecnia   fireworks displays
cataplún   kaplunk!
cauce *m.*   river bed
cautela   caution
cautivo   in captivity
cavado   dug
cebar   feed; to heat; to prepare (*mate*)
cebra   zebra
ceder   to give way, yield
cejijunto: rostro ———   face with joined eyebrows
celos *pl.*   jealousy
ceniza   ash
ceño: arruguita del ———   wrinkled brow
cero   zero
certeza   certainty
ciegas: a ———   blindly
cludadano   citizen
clara   egg white
clave *f.*   key, clue
cobija   blanket
cobrar   to take on, charge
cohete *m.*   rocket
cohibirse: sin ———   without restraint or embarrassment
cola   tail
colar (ue)   to seep (through)
coleccionista   collector
colgar (ue)   to hang
colorido   color effect
columbrar   to discern
columna de hierro   vacuum communication system
collar *m.*   necklace
compañero   companion, comrade; ——— **de curso**   classmate

complacido gratified
comprovinciano one who comes from the same home town or region
concavidad concavity, hollowness
concertar (ie) to harmonize
confiado entrusting
confianzudo given to familiarity, to get familiar
confiar to trust in, confide
confitería pastry shop
conforme: estar ——— to be in agreement
congoja sorrow
conque so
conseguir (i) to manage
conservar to keep
consigna catchword
conspiración conspiracy
contenido contents
convivencia common life
corazonada foreboding
corbata de moño negro black cravat
corcovo bucking (of a horse)
coronas de fuego coronas of fire
corporizar to embody, to give material form to
corrida running about
corso de carnaval carnival parade
cortar to cut off
corteza crust
cortina curtain
cosmópolis *f.* cosmopolitan city
cosquillear el ánimo excite one's spirit
costalear to turn away
costumbre habit
crear to create
crepuscular twilight
criollo Creole, indigenous
crisálida chrysalis, pupa
cristal glass, crystal; ——— **de la piscina** fishbowl; ——— **de la ventana** window pane
crítica criticism
cronista historian, annalist
crujir to rustle

cruzar to cross
cuajos de leche milk curdlings
cuartelazo a military coup
cubrir to cover
cuenca mine or river basin
cuenta: caer en la ——— to open one's eyes, to notice
cuentista short story writer
cuesta slope
cueva cavern
cuidadito just be careful!
cuidarse to take care of oneself
culpa blame
cumplirse to fulfill
cursi: moñito ——— commonplace frill
cúspide *f.* summit

CH

chalina scarf
chamuscado scorched
chapurrear to jabber
charreteras *pl.* the "brass"
che exclamation of surprise or delight
chinche *m.* tack
chinita sweet girl
chiquilín *m.* little boy
chispa spark
chisporrotear to sparkle, sputter
chiste: hacer ——— to joke

D

deber *m.* duty; ———**es de intelectual** duties as an intellectual
debilitado weakened
decaer to founder, languish
Decanato dean's office
decepcionado disillusioned
decoloración decoloration
dedo finger
delicia delight
delirar to rant, talk nonsense
demencia insanity
denunciar to denounce, rail against
deprimido depressed

depurar to purify
derramar to pour, flow
derretir to melt, drip
derribar to knock down
desagradar to displease
desagüe: canal de ——— water drain
desaliño disarray
desamorado cold hearted, loveless
desanimado discouraged
desanimar to discourage
desarmado disarmed
desarraigo uprooting
desatendido neglected
desatento unheeding, not paying attention
desatinado wild, extravagant
desatino folly
desazón *f.* uneasiness
descansar: echarse a ——— to stretch out to rest
descanso rest
desconcertado confused
desconectado disconnected
descubrir to uncover
descuidar to neglect
desdeñar to dislike, scorn
desempleo unemployment
desencuentro disencounter
desenchufar to unplug
desenvolverse (ue) to unravel, develop
desfigurado distorted
desfile *m.* parade
desganado reluctant
desgastarse to waste away
desgracia misfortune
desgraciadamente unfortunately
deshecho broken up, undone
desigualdad inequality
deslizar to slip into, glide
desmayado swooning
desmemoriado forgetful
desnudar to undress
desnudez nakedness
desorden *m.* disorder
despacio slow

despampanante astounding
despegar to break loose
despeinar to dishevel, ruffle
despejado clear
desperezar to yawn, stretch out
desperezo yawn
despierto awake
desplegar (ie) to unfold, display
desplomar to topple
desprecio scorn
desprender to shoot off
despropósito absurdity
desrealizar to make unreal, substanceless
destejer to unknit, unravel
desvanecer to fade, vanish
desvelar to keep awake
desvestirse to undress
desviar to turn, deviate
desvío turn, twist, deviation
detenerse to stop
diablos devil
dialéctica dialectics
diario newspaper
dibujar to draw
dicha happiness
digno worthy
dilatación expansion (of emotions)
dilatar to spread out
diminuto diminutive, tiny
dirección address
disculpar to excuse
discutir to argue
disecado stuffed
disfraz *m.* disguise
disgustar to displease
disgusto displeasure
disimuladamente on the sly
disimular to dissimulate, feign, pretend, hide
disipar to dissipate, drive off
disminuir to diminish
disparar shoot, set off
disparatear to talk nonsense
disponerse to make ready, get ready
disponible available
distraído absent-minded, distracted

disuadir to dissuade
divagar to ramble about
doblar to turn (a corner)
doler (ue) to hurt
dolorido painful
domador horse breaker
domicilio particular home address
donjuan de barrio neighborhood "wolf"
dorado golden
dormilón sleeping
dormir: mal —— sleeplessness, awakenings
dormitar to doze
duende goblin, elf
dueño landlord
duermevela half sleep, dozing

E

echado lying stretched out
echar: —— a andar to start walking; **—— a perder** to lose; **—— se a descansar** to stretch out to rest
edad age
Edad Dorada Golden Age
eficazmente comunicada effectively in touch
elástico supple
elegir to choose, select
embozado muffled
embriagarse to become intoxicated
embriaguez intoxication
empapar to soak, saturate
empeñar to insist
empollar to hatch
empujar to push, roll
enajenar to enrapture
encanto charm
encender (ie) to light up
encerrar (ie) con llave to lock in
encerrarse (ie) to lock oneself
encierro enclosure
encoger to shrink
encogerse to shrug
enderezar to straighten out

enfocar to focus on
enfrente in front, opposite
enfriar to gel
engañar to deceive
enjaretar to saddle up
enloquecer to drive insane
enmarcar to frame
enojar to become angry
ensanchado expanded, enlarged
ensayar to rehearse
ensayo essay
ensueño dream; **——s objectivados** dreams come true
enterar to find out
enternecido touched, affected
enterrar (ie) to plant, inter
entonar to lilt
entornado ajar
entreabrirse to be slightly open
entregarse to deliver oneself
entrelazar interlace
entrever to distinguish
entristecido saddened
entullecer to become still
enturbiado turbid, unclear
envanecerse to brag, to be vain
envenenar to poison
envolvente: ademán —— inclusive gesture
envuelto surrounded, wrapped
equivocación error, mistake
esbozo outline
escalera stairs
escalinata stairs
escalofrío: con ——s chilled
escalón stair, step of a stair; **escalones de madera** wooden stairway
escama body scale
escindido divided
escombros *pl.* rubbish; rubble
escondido hidden
escritorio desk
escrutador scrutinizing
escudriñar to scrutinize
escurrir to seep out
esfera sphere

esforzarse to strive
esfuerzo effort
esmeralda emerald
espacio room, space
espaldas back, shoulders; **a sus** ——— behind him
espectáculo spectacle
espectro spectrum
espejo mirror
espera: en ——— **de** expecting
espeso thick
espiar to spy on, observe
espiral *f.* spiral
espumita a bit of foam
esquela note
esquema *m.* outline
esquinazo: dar el ——— **to dodge;** to slip away
estación season
estadística statistics
estado de la materia states of matter
estallar to burst, break out
esterilidad sterility, barrenness
esterilizar to make sterile
estirar to stretch (out over)
estrabismo squint
estrechar la mano to shake hands
estrella: polvo de ———**s** stardust
estremecerse to tremble, shudder
estría stripe
estudiantina student body
exaltado excited
excéntrica outgoing
exponerse to exhibit
extranjerizante cosmopolitan
extranjero foreigner
extrañar to miss (a person)
extrañarse to wonder at, be surprised
extravagante odd, peculiar

F

Facultad de Filosofía y Letras College of Liberal Arts
facha appearance
fachada façade, front of buildings

fallar to fail
falta lacking
fango mud
fantasear to create fantasy; to be fanciful; to daydream
fantasma *m.* phantom
farol *m.* lamppost
fastidiado annoyed
fastidiar to annoy
fastidio annoyance
fatigado tired
faz *f.* countenance, face
fe *f.* faith
festón de algas festoon of algae
fiebre *f.* fever
fijarse to look at, notice
fijeza steadfastness, fixedness
fijo fixed
fila row
fingir to pretend
finisecular turn of the century
fisonomía face, physiognomy
flaco thin, emaciated
flojo flabby
floración flowering
flotante flowing
flotar to float
fluidez fluidity
fluir to flow
fofo flabby
fondo bottom
fortachón big strong man, "he-man"
fosco dreary
fragor *m.* clamor
francachote open hearted
franja border, band
frazadas bed clothing
frente *f.* forehead
fruición de novela enjoyment derived from a novel
fruncir el ceño to frown
fuente *f.* source
fuerza strength
fuga flight, fugue
fugato *Ital.* (musical tempo) rapid, as if in flight
función show

G

galanterías *pl.* civility
galera: en ——s around galleys
galería arcade
gama gamut, scale, range
garganta throat
gastado worn out
gesto gesture, movement
girándula girandole, cluster of sky-
rockets
girar *m.* rotation, turning; to turn
golondrina swallow
golpear to strike; —— **las manos**
to clap
gordo chubby
gota drop; **a** ——s in droplets;
—— **a** —— drop by drop
gotear to drip
graciosa ondulación graceful swaying
grandote very large, "biggish"
granitos grains of sand
grano: ir al —— to come to the
point
gravedad seriousness
grieta crevice, crack
grosería ill breeding, grossness
grosero coarse, rude
gruta grotto, cave
guardar to keep, put away
guardia: estar de —— to be on
duty
guiño wink

H

halagar to flatter
hálito breath
haz de luz pencil of light, fine ray
hebra fiber, thread
hechizado entranced
helado frozen
hervir (ue) to boil
hierático priest-like
hierro: barandilla de —— iron
grating

higo fig
hilo thread
hinchar to puff out, swell
hito: de —— **en** —— face to
face
hoguera fire
hojas sueltas loose sheets, scrap
paper
hombría: falta de —— lack of
manliness
hombro: de ——s **cargados** stoop-
shouldered
homenaje *m.* homage, deference
hondo: lo —— in the depths
honrado honorable
horadar to burrow into, erode
hostigar to punish
hoyo hole, emptiness
huella imprint, rut
huesecillo little bone
hueso bone, skull
huesosa bony
huevo: poner un —— to lay an
egg
huidizo fleeing
humedecer to wet
húmedo humid
hundido sunken
hundir to sink down, press down;
—— **de cabeza** to dive in head
first

I

idas y venidas goings and comings
igual similar
ilusionista magician
imantado magnetized
imperativo overbearing, imperative
imprenta press room, printing press
imprevisora improvident, not pro-
viding (for the future)
imprevisto unforeseen
imprimir to print
incaico Inca, pertaining to the Incas
incendiar to enkindle, ignite
incendio fire

incompetentes de charreteras incompetents from the "brass"; **incompetentes del montón** incompetents from the masses; **incompetentes de la oligarquía** incompetents from the oligarchy
inconsciente unconscious
índice *m.* index finger
inexistente nonexistent
infeliz unhappy fellow
inflado puffed up
influir to influence, to have a part in
infranqueable impassable
ingenio talent, inventive faculty
ingresar a la redacción to join the editorial section
iniciar to start
inmóvil stationary
inmovilizarse to become still, motionless
inquietar bother, perturb
inquieto worried, disquieted
insomnio insomnia
intento attempt
inundar to drown, inundate
invariable unchanging
invertirse to turn around
irisado iridescent
irlandés Irish
irreal unreal
irrealidad unreality

J

jabón *m.* soap
jactancia boast
jaculatoria expressive burst
juego interplay
jugar (ue) to play
Juicio Final Last Judgment
jurar to swear
justamente precisely
justo exactly

L

lacio thick, straight hair
lacra ill
lado: a ningún —— no place

ladrillo brick
lampiño beardless
languidez languor; **—— crepuscular** twilight languor
lanzar to dart, hurl, cast
lanzarse to launch, fling forth
largar una carcajada to burst out laughing
largo: a lo —— along
latas con alimentos canned food
laxo relaxed
lector reader
lectura reading
lejanía distant place
lente *m.* lens
lentes *pl.* eyeglasses
lentitud: con —— slowly, in a slow measure
lento slow
letra letter (of the alphabet); **en ——s de molde** in print
levadura yeast
leve light
libresco bookworm
licor *m.* beverage
ligar to tie
ligerísimo very light: **—— desvío** with the slightest turn
lila lilac
limpieza cleanness, cleanliness
linotipo *f.* linotype machine
liso smooth, plain
lógica de piedra stony logic
lograr to succeed in
lucrar to profit
luchar to fight
lugar *m.* place
lujo luxury
luna del espejo full length mirror, mirror plate
lunático moonstruck
lustroso shiny
luz: media —— dim light

LL

llama flame
llave: encerrar con —— to lock in
llavero key ring

M

macizo solid
madera wood, wooden part
madrugada early morning
madurado mature
magín *m.* imagination
malignidad perversity
maloliente smelly
malva mauve, purple
mamarracho grotesque figure
mandar to be in command
manecilla del reloj clock's hand
manicomio insane asylum
manija handle
manola (a gaudily dressed Madrilenian woman in traditional costume)
manso meek, mild
manzana city block
máquina machine; —— **de escribir** typewriter; —— **rotatoria** rotary machine
marco frame
mariposa butterfly
mármol *m.* marble; —— **pulido** polished marble
masa dough
máscara mask
matadero slaughterhouse
mate *m.* gourd, mate tea
materia matter; **estados de la ——** states of matter
matiz *m.* shade, shading
matricularse to enroll, register
matrimonio married couple
matriz matrix
mecanismo mechanism (a doctrine that holds that the universe is mechanically determined and can be expressed through physical laws)
mecha fuse
mejilla cheek
mejor: a lo —— probably
mejorar to improve
melena mane, hair; ——**s flotantes** flowing mane
mensajero messenger

mentón *m.* chin
merecer to deserve
mero simple
mesurado circumspect, civil
meter to put, insert
meterse to filter
mezclar to intermingle, blend
minoría minority
miseria poverty
moco derretido strewn mucous
modales furtivos furtive, stealthy ways
modelar to model, give shape to
modificar to change
modosamente properly, with decorum
mofarse to make fun of
molde: en letras de —— in print
moldura molding
momia mummy
monos *pl.* comics, funny pictures
montón *m.* the masses
moñito cursi commonplace frill
moño: corbata de —— black cravat
morderse la cola to bite its tail
mortecino dying, pallid
mostrador counter
movedizo moving
muchedumbre crowd
mudo mute
muela tooth
mundial world
muñeca doll
murga band of street musicians
muro wall
Musas Muses (nine inspiring goddesses of song and poetry)
musgoso mossy

N

nadar to swim
naranjo orange tree
naturaleza nature
náufrago shipwrecked person
nebulosas *pl.* nebulae
negrita: en ——, cuerpo diez 10 pt. bold type

negrura blackness
nervadura nervure
neurasténico neurotic, neurasthenic
nieta granddaughter
nietito little grandson
ninfa nymph, *coll.* pretty girl
novio fiancé
nubarrón *m.* threatening cloud
nube *f.* cloud
nuca nape of the neck
nuevo: lo —— newness
nupcial: alcoba —— bridal alcove, bedroom

O

objectivado: ensueños ——s dreams come true
oblicuo oblique, slanted
obra maestra masterpiece
obrar to work
obrero worker, labor
ocaso sunset
ocultar to hide
oculto hidden
oficio job
ojillos little eyes
ojo careful! beware!
ojos-linterna lantern eyes
oleada wave
oligarquía oligarchy
olor smell
onda ripple
ondulación: graciosa —— graceful swaying
ondulado wavy, curly
opa *m. coll.* fool
oprimido dispirited
oración sentence
orador public speaker, orator
orgía orgy
orilla shore
oveja sheep
ovillar to wind in a ball
oyente *m. or f.* auditor, noncredit student

P

paisaje *m.* landscape
paisano cowhand
paja de libros book straw
palenque *m.* palisade
palidez de luna moon paleness
palmadita en el hombro pat on the back
palta: carozo de —— avocado core
pantalla screen
pantano swamp
papel role; **representar un** —— to play a role
paquete *m.* food packet
paraíso paradise
parcial partial, partisan
parecido similarity
pariente *m. or f.* relative
párpado eyelid; ——s hinchados swollen eyelids
parsimonioso sober, moderate
parte: de —— **a** —— through and through; **por otra** —— on the other hand
particular: domicilio —— home address
partida de ajedrez chess game
partido: a brazo —— hand to hand
pasado past
pasajero passenger
pasillo corridor; —— **del medio** center aisle
pasmo astonishment
pasmoso astonishing
pastora shepherdess
patente obvious
patrón sir
pececillo little fish
pedigüeño beseeching
pegado stuck
pegarse to adhere
peineta large hair comb
peludo hairy
pendiente: estar —— to hang on

perder la clase to "cut" class
perfilado outlined
periodismo journalism, newspaper
work
perplejo perplexity
perseguir to pursue, chase
pesadamente heavily
peso weight
pestaña eyebrow
picado decayed
pico pinnacle
piedra stone, slab
piel skin; ——— **de higo maduro**
the skin of a ripe fig
pieza room
pinchar con una chinche to tack up
pinta: tener la ——— to look like
pintor painter
pintura *here:* lipstick and rouge
pirotecnia: castillos de ———
fireworks displays
pisada step
pisar to step on
piscina: cristal de la ——— fishbowl
pizarra slate board
pizzería pizza shop
placas de pus pus stains
planchar to iron
playa beach
pobretón a poor man
poder *m.* power
polvo chalk, dust; ——— **de**
estrellas stardust
pompa de jabón soap bubble
pompier: frase ——— old-fashioned
phrase
pómulos salientes jutting
cheekbones
poner un huevo to lay an egg
poro pore
porquería worthless thing, slop
portal entrance, main gate
portar to behave, carry on
portentoso portentous, foreboding
porteño inhabitant of Buenos Aires
porvenir *m.* future
posarse to settle, rest on

poseer to possess
poste chamuscados scorched
scaffolding
postizo artificial
postura position, posture
potro colt
preciosista overrefined
precipitarse to leap forward
prefigurado presketched
prender to insist on
prendido attached
presente: tener ——— to keep at
hand
presentido presentive, premonitory
presentir (ie) to have a foreboding
presión pressure
prestar to lend
pretexto excuse
previsible predictable
primigenia original
profetizar to prophesy
pronóstico prediction, prognostic
proseguir (i) to continue
protectora protective
proteger to protect
próximo recent
prueba proof
puesto que since
pulido polished
pulmón *m.* lung
punta end; ——— **de la nariz** tip
of the nose
punto spot; **al** ——— right off,
immediately
pupila eye
putita harlot

Q

quejar to complain
quemar to burn
quieto quiet, still; ———, **bien**
——— still, very still

R

raciocinio reasoning
racha helada freezing gust of wind

raíz *f.* root
rarezas *pl.* strangeness
raro strange
rascar to scratch
rasgar to scratch
rasguño scratching
ratoncito little mouse
raudal *m.* **a** ——**es** in torrents
rayado lined
rayo de gracia a ray of mercy, of kindness
razonante reasoning, reasonable
rebajar to lower
recalcar to harp on, insist
recatarse to be shy
recelo misgivings
recién creado just created
recoger to gather
recóndito hidden
recorrer to run through
recreo recess
recurso resort, recourse
rechazar to reject
rechinar de carreta squealing of wheels
redacción editorial section
redactor editor
redondear to round off
redondo circular
reflejo reflection
reformador reformer
regañar to scold
regar (ie) to sprinkle
regatear la conversación to quibble, haggle over words
regazo lap
regresar to return home
reiniciar to start again
rejas y balconcillos volados gratings and balconies jutting from the walls
relación: en buenas ——**es** on good terms
relámpago flash of lightning
reloj de arena hourglass
relojero jeweler, watch repairman
relleno full

remar to row
rematadamente completely, totally
remorder (ue) to feel remorse
Renacimiento Renaissance
rendija crack
renegrido blackish
renunciar to renounce, give up, resign
reojo: mirar de —— to look askance
reparar to notice
repentinamente suddenly
replegado folded up
replegar (ie) to refold
reponerse to regain one's health
reprochar to reproach
resbalar to hark back, slip back, slip by, slither
resonar (ue) to resound
respingo muttering, gesture
respirar to breathe, feel
restorán *m.* restaurant
restregarse (ie) to rub
resurgir to resurge, to be born anew
retener (ie) to keep, hold back, retain
retornar to take up again, resume
retroceder to step back, fall back, retreat
revisar to go through, examine
revista journal; **pasar** —— to review
rezongo muttering; —— **de hierros** grumbling of metal
riada stream
riesgo risk
rigidez rigidity
rincón: atravesado en un —— cater-cornered
riqueza wealth, riches
risotada laughter
ritmo rhythm
roce *m.* brushing, slight touch
rodear to surround
rodilleras del pantalón bagging knees of the trousers
ropa clothing

ropero wardrobe, closet
rosa pink
rosado pinkish
rostro face
rotativa rotary press
roto torn
rozar to brush, rub (together)
rubendarismo (pertaining to the poetic allusions of the Nicaraguan poet, Rubén Darío)
rubio blond
rueda wheel
rugir to roar at
ruleta roulette wheel

S

saber *m.* knowledge
sabihondo "know-it-all"
salida: boca de —— exit
salón de lecturas reading room
saltar to jump
salto leap
saludar to greet
sano healthy
sarpullido skin rash
sastre *m.* tailor
saturnino gloomy, morose
sebo tallow
seco dry
seda silk; **almohada de ——** silken pillow
segregar to set apart; segregate
sellado sealed off
semblante *m.* expression, countenance
seno breast
sentido sense, meaning
seña: hacer ——s to beckon to, wave at
señal *f.* sign, indication
señalar to point out, mark off
sepultado buried person
ser *m.* being
serpentina snake dance
sexo sex, sexual parts

silbar to whistle
simiente *f.* seed
sincerarse to justify oneself
sirena varada a siren who has run aground
sobrar to be more than enough
sobresalir to be outstanding
sobresaltar to startle
sobresalto surprise
sobretono overtone
solas: a —— alone
soledad solitude
soler (ue) to be accustomed to
soltar (ue) to let loose; —— **una carcajada** to burst out laughing
soltarse (ue) to jump off
sombra shadow
sonámbula sleepwalker
sonar (ue) to ring, sound
sondear to fathom, sound out
sonido sound
sonrojo blush
soplar to blow
sopor *m.* lethargic sleep
sos (Argentinism for **sois**) you are
sosiego state of repose, tranquility
sospecha suspicion
sostenuto: poco —— (*Ital.*) briefly sustained
sótano basement
súbito sudden
suceder to happen
sudar to sweat
sudor *m.* perspiration
sueldo salary
suelo floor
suelto loose
sueño dream
suerte *f.* luck
sumergirse to submerge, dive down
sumidero sewer
sumir to swallow up
sumisa submissive
superficie *f.* surface
superproducción overproduction
suprimir to suppress
suspirar to sigh

T

tablón plank, thick board; **tablones de pino** pine boards
taburete *m.* stool
taconear to click heels
tachar to scratch out
talla stature
taller shop
tamaño size
tapamugre *m.* overcoat
tardío sluggish
tarjeta postal postcard
tecla typewriter key
Técnica Technology
techo ceiling
tedio tedium, boredom
tejer to knit, weave
tema *m.* theme, subject
temeroso fearful
tender to stretch out
tendido put forth
tenebroso tenebrous, dark
tentar to feel
tenuísima very faint
tétrico gloomy
tez *f.* complexion
tildar to brand
timbrazo bell, bell ring
timbre *m.* bell
tin-tin jingling
tipo *coll.* "guy"
tirarse to throw oneself
tirón tug; **de un ——** in one sitting
tiza chalk
"tocado" "touched" (in the head)
tonada tune; **—— provinciana** provincial singsong, lilt; **—— tucumana** hickish singsong
tonillo porteño big city air
toque *m.* touch
torbellino whirlwind
torcer to twist
tormenta storm
torno: en —— around it
torre *f.* tower

torvo windswept
traducir to translate, transfer
tragar to swallow
traición betrayal
trama cloth
tramoya craftiness
trampa trick
tranquera pale fence
transcurrir to occur
tránsitos de la casa passageways of the building
transporte *m.* rapture, ecstasy
tranvía *m.* trolley
trato diario daily dealings
travieso: brillo —— mischievous gleam
trecho short distance, piece
trigueño dark-complexioned, brunette
trocito a bit
tropezar to stumble (across)
tropicalismo Tropics minded
tucumano native or inhabitant of Tucumán
tul *m.* tulle
tulipán *m.* tulip
tumbarse to throw oneself
turbante *m.* turban
tutear to address in the familiar form

U

últimamente lately
ultratumba beyond the grave
umbral infranqueable impassable threshold
uniforme *m.* uniformity
uña fingernail

V

vacío emptiness, void, empty
vagar to stroll, roam
vago vague
valiente porquería courageous slop
vano threshold

varada: sirena ———— siren run
aground
varillas *pl.* ribbing
varón man
vela de sebo tallow candle
velador *m.* lamptable
Velar to veil, cover up
vengarse to avenge oneself
venidas: idas y ———— comings and
goings
venturosamente with good fortune
vereda sidewalk
vergüenza: que ———— how
shameful
vértigo vertigo, dizzy spell
vía street
vidalas y carnavalitos types of folk
dances
vidriera del almacén store window
vidrio glass, window
viejísima very old
viejo "old pal"
vigilar to watch, keep watch
vigilia: en la ———— while awake
vileza vileness, meanness
violáceo purplish
víscera viscera, intestine
visión view
víspera the day before
vistazo glance; **echar un** ———— to
glance over

vitalizador de libros one who gives
life to books
vitral de colores stained glass
vivace *Ital.* brisk, spirited
viviente living
vocación calling, vocation
volado jutting
volar (ue) to fly
voluntad will, determination
vos (in Argentina, the familiar form
of address, used in place of tú)
vuelo flight; ———— **redondo**
circular flight
vuelta turn; ———— **brusca** sudden
turn; **dar** ————s to turn over

Y

ya now
yema yolk; ————s **de los dedos**
fingertips
yerba mate maté (tea)

Z

zaguán *m.* vestibule
zancada stride
zas swish!
zeta the letter *z*, zed
zurcir to mend, darn

Christian College Library
Columbia, Missouri

DATE DUE			
MAY 7 71			
GAYLORD			PRINTED IN U.S.A.

STAFFORD LIBRARY COLUMBIA
863 F181f c.1
Anderson Imbert, Enrique
Fuga

3 3891 00019 3691

tian College Library
olumbia, Missouri

863
F181f

Anderson Imbert, Enrique
   Fuga.

Macmillan
Modern Spanish American
Literature Series

Donald A. Yates, General Editor

Three novels and a collection of *cuadros* in text editions initiate a new and outstanding series for intermediate Spanish courses. Each work is written in a modern idiom, and is concerned with themes which are at the same time immediate and timeless. Introductions, notes, and vocabulary are provided for each volume. General Editor: Donald A. Yates, Michigan State University.

FUGA
BY ENRIQUE ANDERSON IMBERT
Edited by John V. Falconieri, Western Reserve University

CEREMONIA SECRETA
BY MARCO DENEVI
Edited by Donald A. Yates, Michigan State University

CUADROS GUATEMALTECOS
BY JOSÉ MILLA
Edited by George J. Edberg, Dickinson College

EL TÚNEL
BY ERNESTO SÁBATO
Edited by Louis C. Pérez, Williams College

The Macmillan Company
60 Fifth Avenue, New York 10011

3031